pen BOOKS

DISCOVER the ARAB WORLD

アラブは、美しい。

ペン編集部【編】

CCCメディアハウス

アラビア半島とアフリカ北部の乾燥地帯に
帯状に広がり、東はイラン、西はヨーロッパの
イベリア半島と隣接する地域——アラブ。
おもにアラビア語を母語とする、イスラム教徒が
暮らすこの地で、四大文明のうちふたつが興り、
16億人以上が信奉するイスラム教が誕生した。
本書ではアラブで生まれ、集積していった
古今の美しいもの、優れたものに焦点を当てる。
イスラム教誕生以前に花開いた知られざる古代文化、
篤い信仰をもとに発展を遂げた建築や美術。
さらに、それらを踏まえた現代のカルチャーを取材。
東西文化の交差点で育まれた美を知れば、
遠いと感じていたアラブはぐっと身近になる。

アラビア半島東部のサディヤット島にあるルーヴル・アブダビを海から見る。美術館全体を覆うドームが夕日を受け、複雑な幾何学模様を浮かび上がらせている。

目次

アラブは、美しい。

まず押さえたい、アラブに関する基礎知識。

アラブの美とは何か。

pen BOOKS

※本書は「Pen」2018年2月1日号の特集「アラブは、美しい。」をもとに再編集したものです。

アラブの日常と現代文化。

●掲載した商品の価格、施設の料金や開館時間、休みなどは予告なく変わることがあります。●施設は基本の入場料を記していますが、別途料金がかかることがあります。●電話番号の冒頭、「+」で始まる番号は国番号です。日本からかける場合、市外局番冒頭の「0」を取る時は(0)と記しています。●1UAEディルハム=約28円、1ユーロ=約122円、1カナダドル=約79円、1ドル=約104円(すべて2020年10月現在)

DISCOVER the ARAB WORLD

まず押さえたい、アラブに関する基礎知識。

アラブ世界の基本を知るQ&A。

Q アラブの人は どんな言葉を話しているの？

A アラブ世界では、アラビア語が広く用いられている。イラク北部やシリア北東部などに暮らすクルド人がクルド語を使うことがあるが、日常生活ではアラビア語を用いることが多い。

現在のアラビア語の原型ができたのは、4世紀頃。7世紀にイスラム教が誕生し、聖典コーランがアラビア語で記され各地に伝播していくにつれて、アラビア語も広まっていった。

書き言葉に地域差はないが、話し言葉は各地域で方言があり、アラブ世界の西と東では、アラビア語で話していても、意思疎通が難しいほど異なることも多い。その場合は、話し言葉に書き言葉を織り交ぜてコミュニケーションを図ることもあるようだ。

Q アラブの人は どんな宗教を信じているの？

A アラブの人々が信仰しているのは、おもにイスラム教だ。唯一神・アッラーとその使徒である預言者ムハンマドを信じ、聖典コーランの教えに従う。礼拝は1日5回、女性は可能な限り肌の露出を避けるなど、さまざまな決まりがある。

一方、国や地域によって数は異なるが、アラブの地域にはキリスト教徒も多く暮らしている。たとえばレバノンは人口の約4割がキリスト教徒で占められる。

photo: © Getty Images

シリアのウマイヤ・モスクで、祈りを捧げるイスラム教徒たち。

アラブ連盟に加盟する22の国と地域

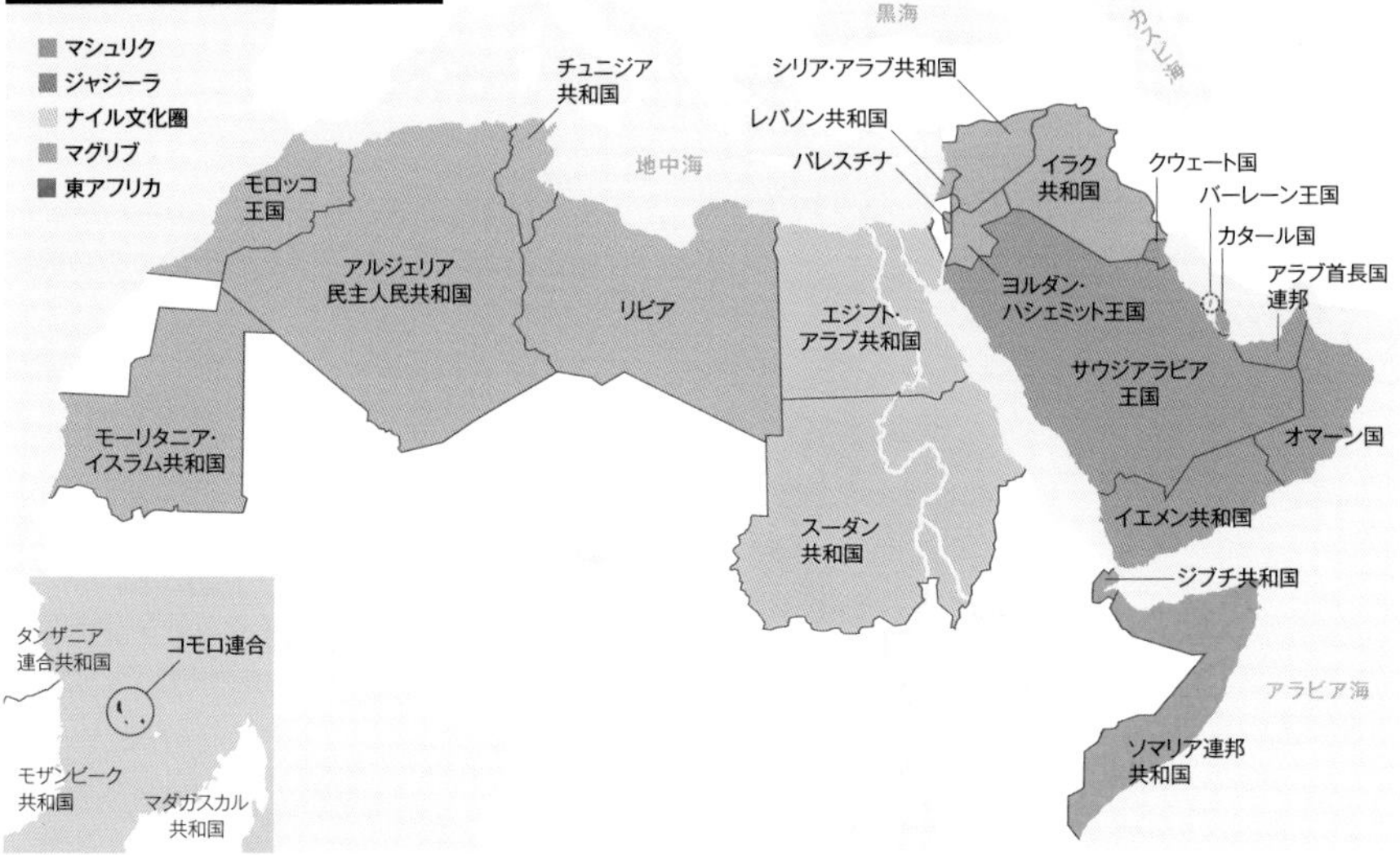

Q「アラブ」って何?

A「アラブ」をひと言で定義することは難しい。一般的には、アラビア語を母語とし、7世紀のイスラム教成立以後の歴史の中にあって、その歴史や社会への共属感覚をもつ人々をアラブと呼ぶ。

アラブの人々は、もともとアラビア半島に暮らしていたが、イスラム教が広まるにつれて、中東地域に広く進出。その結果、最盛期には、東は中央アジア、西は北アフリカまでを勢力圏に収めた。

中東地域には、アラブ以外にも、トルコ語を話すトルコ系の人々、イランを中心とした地域に住み、ペルシャ語を母語とするイラン系の人々、ユダヤ教を信仰し、ヘブライ語を話すユダヤ人など、さまざまな人々が暮らしている。同じ地域に生活していても、母語や共属感覚が異なるため、アラブには含まれない。

現在、地域としては、アラブ連盟がひとつの目安だ。1945年に結成され、現在は22の国と地域が参加。この領域は、地理的・文化的な特徴から、「マシュリク」「ジャジーラ」「ナイル文化圏」「マグリブ」「東アフリカ」の5つに大別されている。

つまり、アラブの人々とは、アラビア語とイスラム教を共属感覚の根本にもちながらも、地域ごとに多様な特色をもつのだ。

photo: © KAZUYOSHI NOMACHI/SEBUN PHOTO/ amanaimages

サウジアラビアの人が客を出迎える様子。アラブではラクダが重用された。

Q「アラブ連盟」とは？

A アラブの民族的自決を促し、欧米列強からの干渉と影響を排除するために結成された国際協力機構。1945年の発足当時、加盟国はエジプト、シリア、レバノン、イラク、ヨルダン、サウジアラビア、イエメンの7カ国であったが、現在はパレスチナを含む22の国と地域が参加している。イスラム教を掲げた組織ではないものの、加盟国はイスラム教徒が多い。東アフリカのソマリアとジブチ、コモロは元来アラブ文化圏ではないが、イスラム教徒が多いことから加盟を認められた。

本部は、エジプトがイスラエルと平和条約を締結したことを理由に資格停止となった79～89年を除き、エジプトのカイロに置かれている。歴代の事務総長もエジプト人が務めることが多く、連盟の運営では同国が中心的な役割を果たしている。

1964年からは、最高意思決定機関として、アラブ首脳会議を開催。70年代までは中東和平交渉などで大きな成果を上げたが、その後はイラン・イラク戦争や湾岸戦争などで加盟国内の対立が顕在化している。現在も定期的に会合の場を設けてはいるものの、その機能と影響力の低下は否めない。

2017年12月、アメリカのトランプ大統領がエルサレムをイスラエルの首都と認めたことに反発。「中東和平への努力を台無しにする危険な動き」と非難し、認定撤回を求める決議を採択した。

中東情勢が緊迫化するなか、アラブ連盟がどのような役割を果たすか注目されている。

photo: © Alamy / PPS

アラブ連盟のエンブレム。文字の周囲を囲む赤い鎖は、22の国と地域を表す。

Q アラブに雪は降るの？

A アラブ地域の特徴のひとつが、高温で乾燥した気候。砂漠地帯が多いため、日中と夜間の温度差が激しく、非常に過酷だ。こうした降水量の少ない乾燥地帯では、冬に山岳部でわずかな雨が降るだけで、鉄砲水が発生するほど。周囲の村々を押し流し、甚大な被害をもたらすことすらある。

一方で、近年の異常気象により、冬にはシリアやレバノン、ヨルダンやパレスチナなどで大雪になることも。2013年には、エジプトでも積雪が観測され、スフィンクスが雪化粧する姿も見られた。

photo: © AFP=時事

珍しい積雪に喜び、雪を投げ合って遊ぶシリアの少年たち。微笑ましい光景だ。

Q アラブの人はお金持ちって本当？

A 超高層建築に住み、高級外車を乗り回す。そんなお金持ちのイメージがあるアラブの人々。だが、実際はどうなのだろう？

アラブ世界の経済は、依然として原油に多くを依存しているのが現状だ。その埋蔵量や生産量の違いから、国や地域によって経済格差が大きい。つまり、天然資源の恩恵を享受できる人々が富裕層を占めており、彼らが「アラブの人はお金持ち」というイメージをつくり出しているのだ。

近年は、北米を中心に生産が拡大しているシェールオイルやシェールガスの影響で、相対的にではあるが、アラブ産の原油が国際社会にもつ影響力は低下しつつある。そこで、これまで原油やその関連産業に頼ってきた国々は脱石油化を志向。2017年にサウジアラビア王室の要人が相次いで来日したのは、こうした経済構造の転換のサインでもある。

Q 日本とアラブとの関係は？

A 欧米列強による植民地支配を受けたり、米ソ冷戦期に政治的対立に巻き込まれたりしたアラブ世界。その経験から、アメリカによる原爆攻撃の被害を受けた日本に対しては、似た立場にある国として、親しみを感じることが多いとされる。また近年は、「名探偵コナン」や「ポケットモンスター」など、日本のテレビアニメが衛星放送で放映され、特に若い世代に好まれている。従って、アラブの人々の日本に対する感情は総じていいようだ。

しかし、日本ではあまり知られていない“因縁”があるのも事実。現在は有力な産油国が名を連ねるペルシャ湾岸地方だが、原油が発見される前は、古代から天然の真珠の産地として有名であった。ところが、日本で真珠の養殖技術が開発されたことで、1930年代までにこの地域の真珠産業は壊滅。真珠で生計を立てていた人々の生活は、甚大な打撃を受けた。

こうした過去を乗り越えて、現在日本とアラブは友好な関係を築いている。政府開発援助（ODA）による支援も盛ん。その主要対象国であるエジプトでは、オペラ座や博物館などの施設が日本の援助により建設されている。なかでもスエズ運河にかかる「スエズ運河架橋」は、その代表例だ。橋の中央には、日本とエジプトの国旗を描いた記念板が設置され、両国の友好関係を世界に発信している。

遠く離れたアラブ世界。だが、そこに生きる人々と日本とは、この瞬間も見えない絆で結ばれている。

photo: © Getty Images

スエズ運河にかかる「スエズ運河架橋」。日本とエジプトの友好を象徴している。

主要な王朝や勢力の変遷を、地図でたどる。

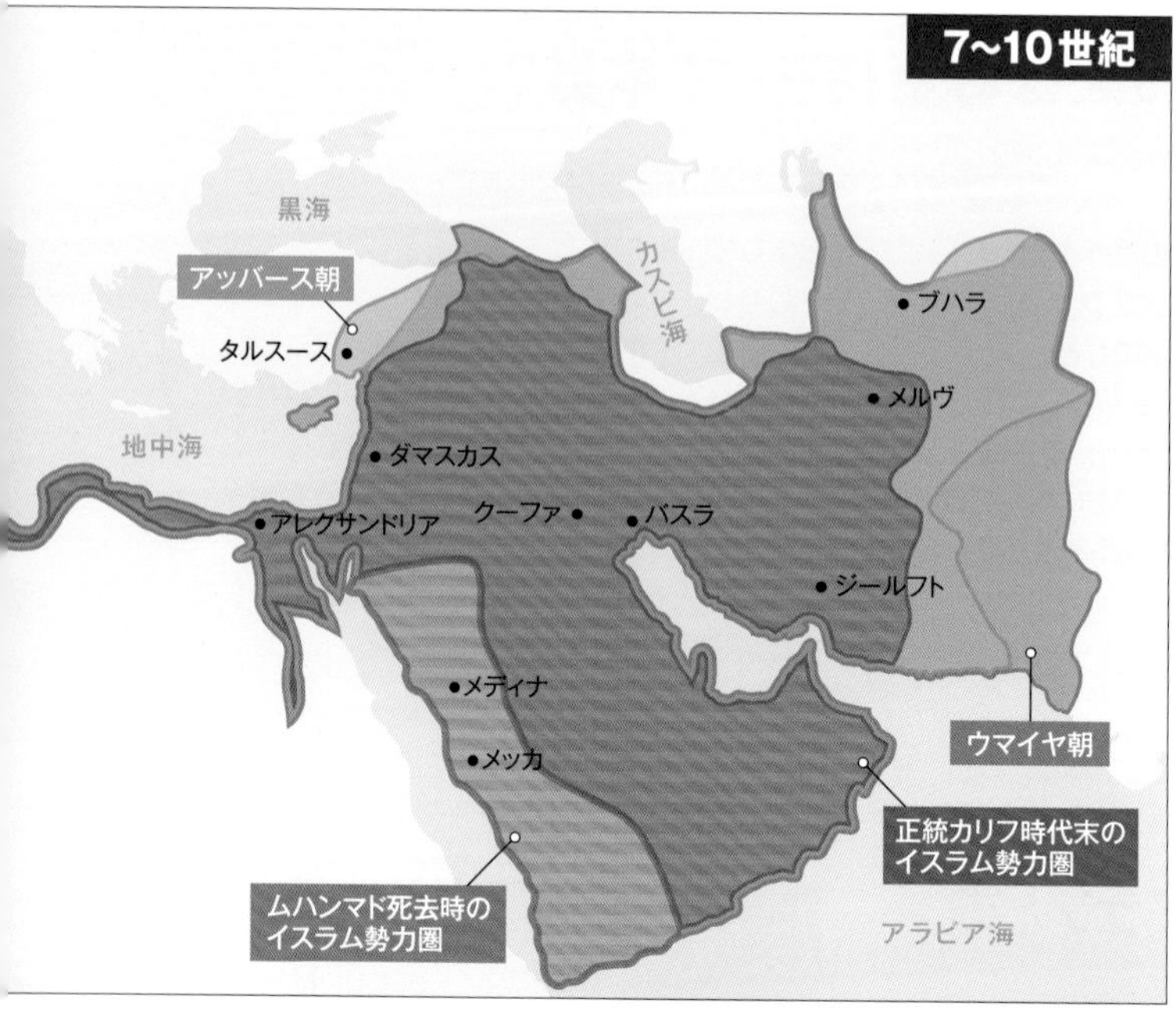

イスラム勢力の台頭で、アラブの文化が広まった。

ムハンマドが没した632年までに、イスラム勢力はアラビア半島西部に版図を拡大。彼の死後、イスラム共同体を率いる指導者として、初代正統カリフ、アブー・バクルが選出される。その後、正統カリフたちの推進した大征服活動により、同半島北部から、西はチュニジア、東はイラン東部へと進出。ウマイヤ朝期には、イベリア半島から中央アジアに至る広大な地域を支配下に収めた。

こうしてアラビア半島に出自をもつ「アラブの民」が同地域一帯に拡散し、現地住民との交流を経て、アラブの文化の影響が各地に波及した。ウマイヤ朝は、主導権争いの結果、権力の座をアッバース家に明け渡し、滅亡。以後、アッバース朝が権力を行使した。

いくつもの王朝が乱立し、軍が権力を掌握する。

9世紀以降、アッバース朝の権力に翳りが見え始めると、地方勢力が乱立。また、域外からの勢力の侵入も始まり、非アラブの政権が各地に樹立された。東方では、イラン北部よりブワイフ朝が勃興。イラクとイラン西部を領有し、アッバース朝カリフを傀儡化した。その後、中央アジアよりセルジューク朝が到来し、広大な地域を支配する。

一方、北アフリカではファーティマ朝がチュニジアからエジプトを押さえ、カリフを称してアッバース朝との対決姿勢を示した。さらに西では、ベルベル系のムラービト朝が西サハラからイベリア半島を支配。また、十字軍の侵入に対し、イラク北部を拠点とするザンギー朝がシリア方面へと進み対抗した。

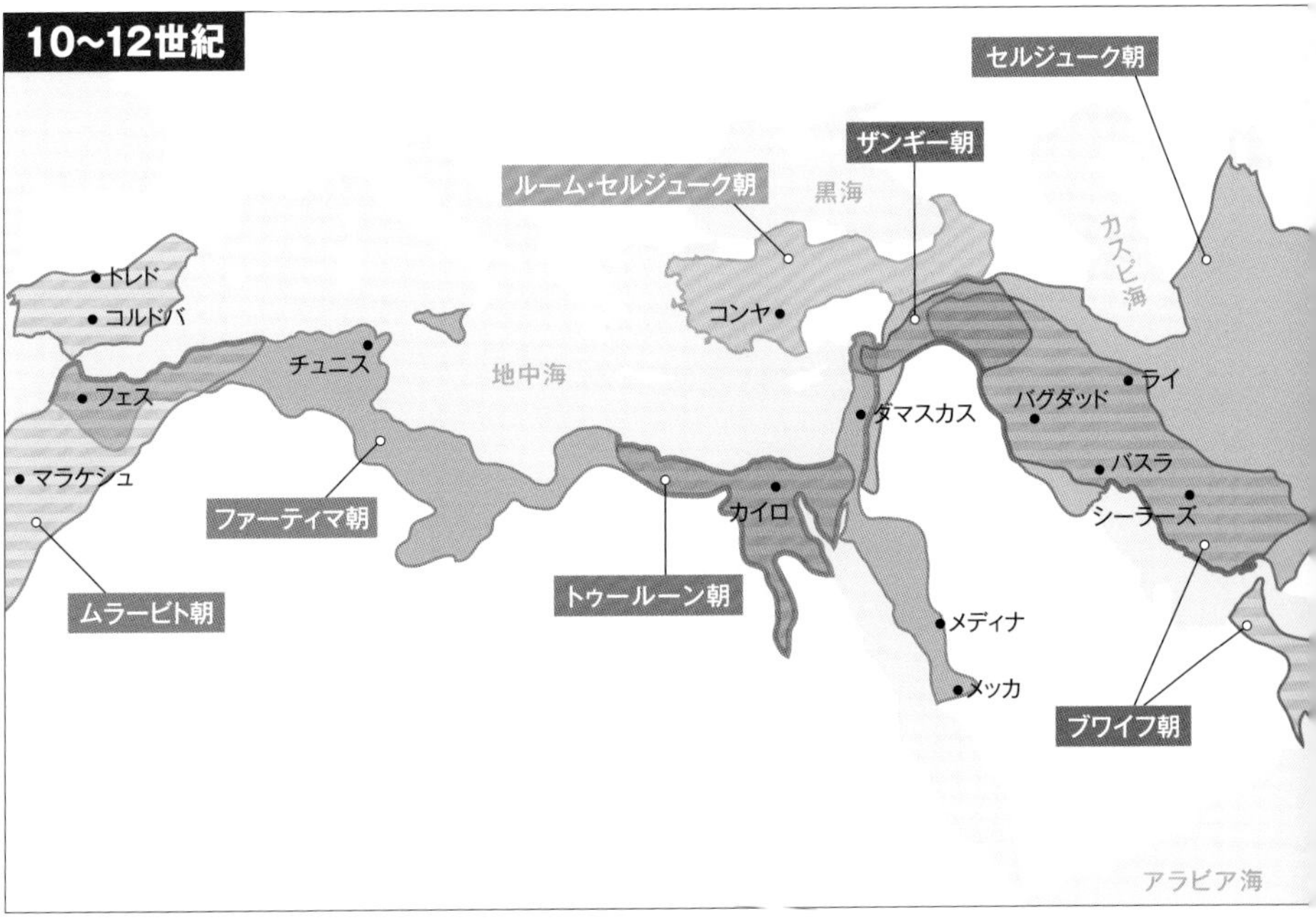

12~15世紀

キリスト教陣営と攻防し、群雄割拠の時代に突入。

聖地奪還を目指してシリア沿岸部に侵入した十字軍国家に対抗する必要から、エジプト・シリア一帯を領有するマムルーク朝が成立。これらの十字軍国家を滅ぼし、東方のイラン系諸国と競合した。13世紀末には、のちにマムルーク朝を滅ぼすトルコ系のオスマン朝の勢力が勃興、しだいに勢力を拡大する。

一方、ムラービト朝の勢力を退け、北アフリカからイベリア半島に覇を唱えていたベルベル系のムワッヒド朝は、キリスト教の勢力の伸張や国内の抗争などが影響して衰退。代わってモロッコ一帯を支配したマリーン朝に滅ぼされた。この他、北アフリカにはムワッヒド朝の影響を受けたザイヤーン朝やハフス朝が並び立ち、覇を競った。

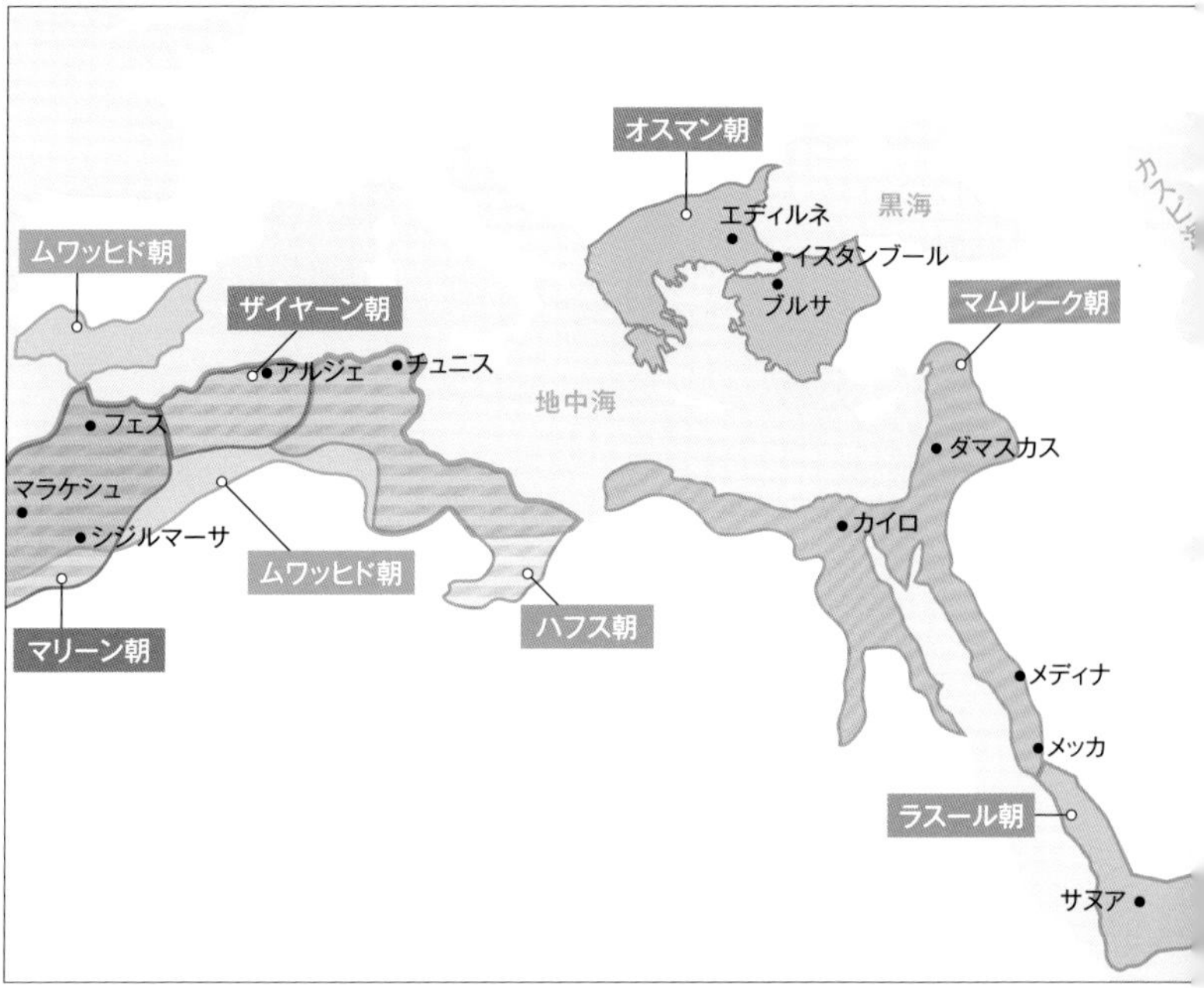

オスマン朝の支配を経て、近代国家の建設へ。

オスマン朝の版図が最大となったのは16世紀。地中海沿岸地域の4分の3を占め、バルカン半島から黒海沿岸部の大半を領有し、一時はウィーンにまで迫った。加えて、イラク、シリア、アラビア半島西岸部、エジプト、アルジェリアまでの北アフリカ一帯を支配。政治的・文化的な影響を及ぼした。

北アフリカでは、サード朝が内陸のニジェール川上流までを占めたが、17世紀には現モロッコ王国のアラウィー朝が支配を拡大。同じ頃、オマーンではヤアーリバ朝が興った。20世紀に入ると、オスマン朝支配下にあったアラブの人々は「アラブ民族主義」を旗印に掲げ、その秩序からの脱却を目指して近代国家の建設を進めていった。

アラブ連盟に加盟する22の国と地域。

マシュリク

MASHRIQ

文明や宗教が花開いた、有力地域。

マシュリクとは、アラビア語で「日が昇るところ」が原義。転じて、アラブ世界の「東方」に位置する国と地域を指す。メソポタミア文明が興ったイラクや、古代シルクロードの終着地とも言われるシリアなどを含む。古来、さまざまな文明が誕生し、宗教的多様性にも富んだ地域だ。

イラク共和国

首都:バグダッド　人口:3887万人

戦後復興が進む、アラブ屈指の資源大国。

世界屈指の産油量を誇る資源大国だが、1980年に勃発したイラン・イラク戦争や91年の湾岸戦争などで国土は荒廃した。2003年には、大量破壊兵器問題やテロ支援問題を理由に、アメリカがイラクに侵攻。フセイン政権を崩壊させたが、国内の治安は依然として不安定な状態にある。

チグリス川とユーフラテス川の中下流域に位置し、メソポタミア文明発祥の地となった。また、バグダッドの南方約90㎞のところにある古代都市・バビロンは、紀元前600年頃に成立した新バビロニア王国の中心として繁栄した。上の写真のように、巨大な城壁などが残されている。

photo: © Roberthardinq/amanaimages

シリア・アラブ共和国

首都:ダマスカス　人口:2240万人

内戦により、世界遺産も被害を受けた。

古くから東西交渉の要衝として栄えた。ユダヤ教やキリスト教が発展し、またアルファベットが発明された舞台でもある。2011年に始まった一連の内戦により、総人口の半分以上が国内外へ避難。世界遺産都市であるアレッポやパルミラの文化財も破壊され、甚大な被害を受けた。

アラブ首長国連邦

首都:アブダビ　人口:963万人

急速な成長を遂げる、アラブ経済の要。

アラビア半島東南部、ペルシャ湾沿岸に位置する連邦国家。アブダビやドバイなど、7つの首長国で構成される。国土の大半が砂漠だが、豊富な原油に恵まれている。潤沢な資金を背景にした大胆で近未来的な建築物が数多く誕生。中東における金融の中心としても重要な役割を担っている。

イエメン共和国

首都:サヌア　人口:2892万人

内戦が泥沼化する、半島随一の農業立国。

アラビア半島南西部の共和国。南西モンスーンの影響で比較的降水量が多く、同半島随一の農業国となっている。古くはインドや東南アジアと地中海とを結ぶインド洋航路の中継地として栄えたが、近代以降は南北間での内戦が頻発。さまざまな武装勢力や国家が介入し、泥沼の様相を呈している。

サウジアラビア王国

首都:リヤド　人口:3370万人

聖地を擁す、アラビア半島最大の国。

アラビア半島中央部を占める王国。1932年に現在の国名を採用した。38年には原油の生産を開始し、原油の取引で得た利益をもとに、飛躍的な経済発展を遂げる。しかし、近年は人口増加と財政難に直面しており、原油に依存しない国家体制を構築するための大改革を進めている最中だ。

イスラム教のふたつの聖地、メッカとメディナを擁し、厳格なイスラム法に基づく統治を実施。アラブ諸国の中では主導的な立場にあり、イランと激しく対立している。イエメンなどの周辺国では、両国の“代理戦争”が起きており、これからの中東情勢のカギを握る国家として注目されている。

photo: © KAZUYOSHI NOMACHI/SEBUN PHOTO/amanaimages

2020年10月現在、外務省が提供する情報をもとに作成。アラブ連盟に加盟する22の国と地域は、それぞれの地理的・歴史的・文化的な特徴を考慮すると、これら5つの文化圏に分類できる。人口は、1万人未満を四捨五入。

レバノン共和国

首都:ベイルート　人口:610万人

異宗派の共存を図るも、内政は緊張状態。

地中海東岸の山岳地帯に位置。古代より地中海貿易で繁栄した。宗教的多様性に富んだ国として知られ、大統領をキリスト教マロン派、首相をイスラム教スンナ派、国会議長をイスラム教シーア派から選出する独自の制度を確立。宗派間の協調を図ったが、1975年の内戦以降は不安定な状態が続く。

パレスチナ

自治政府所在地:ラマッラ　人口:495万人

独立を目指すも、政治的混乱が続く。

1947年、国連総会はパレスチナをアラブ国家とユダヤ国家に分割する決議を採択。93年のオスロ合意に基づき、ヨルダン川西岸一帯と地中海沿岸のガザ地区からなるパレスチナ暫定自治区が設けられた。以降、イスラエルとの和平交渉が開始されるも、両者の反対勢力が抵抗。混乱が続いている。

ジャジーラ

JAZEERA

原油依存からの脱却を狙う「アラブの民」。

ジャジーラとは、アラビア語で「島」を意味する言葉で、アラビア半島のことを指す。「アラブの民」としての紐帯が強く、イスラム教とともに部族のアイデンティティが重視される。産油国が多いが、近年のエネルギーの多角化により、原油に依存した経済からの脱却が大きな課題だ。

ヨルダン・ハシェミット王国

首都:アンマン　人口:996万人

日本の皇室と親交が深い、砂漠の親日国。

イスラム教の開祖・ムハンマドの血縁であるハシーム家の王が統治する立憲君主国。ヨルダン川が形成するヨルダン渓谷の東側を中心として、南北に都市が点在している。国土の大半は砂漠。ヨルダン王室と日本の皇室とはきわめて良好な関係にあり、交流や訪問が行われている。

クウェート国

首都:クウェート　人口:475万人

民主化が進み、女性閣僚も誕生。

1938年に大油田が発見され、46年から原油の輸出を開始。61年にはイギリスから独立した。90年に領有権を主張するイラクによって一時占領されるも、翌年の湾岸戦争により解放された。2005年には女性の参政権を認め、その後は女性の国会議員や閣僚も誕生。民主化を積極的に進めている。

オマーン国

首都:マスカット　人口:448万人

海洋交易によって、独自の文化を育んだ。

ペルシャ湾がインド洋へと広がる海域の南に位置することから、紀元前より海洋交易が盛んであった。このため、アジアや東アフリカとのつながりが強く、これらから影響を受けた独自の文化を育んだ。現在は原油の輸出が経済を支えており、日本はその相手国の筆頭となっている。

バーレーン王国

首都:マナーマ　人口:150万人

金融や観光など、産業の多角化に挑戦。

ペルシャ湾南部に浮かぶ島国。大小約30の島々で形成される。古代より中継貿易で栄え、ナツメヤシの栽培や漁業、真珠採取なども盛んであった。1920年代にアラブ諸国で最初に原油の埋蔵が確認されたが、産油量は少ない。そのため、金融業の育成や観光客の誘致などに力を入れている。

カタール国

首都:ドーハ　人口:280万人

天然資源を盾に、アラブの新盟主を狙う。

1995年、時の首長・ハリーファの外遊中に、皇太子・ハマドがクーデターを起こして首長に就任。選挙権の拡大や報道の自由の保障など、民主化を推進した。天然ガス資源を背景に新たなアラブの盟主の座を狙っているが、2017年にアラブ諸国が国交断絶を発表するなど、対立が深刻化している。

マグリブ
MAGHREB

北アフリカとアラブの文化が融合を果たす。

マグリブとは、アラビア語で「日が没するところ」が原義。転じて、アラブ世界の「西方」に位置する国と地域を指す。古くからベルベル人の地であったが、アラブの進出によりイスラム化した。近代にフランスの支配を受けた歴史から、いまも経済的・社会的に同国との関係が強い。

モロッコ王国
首都:ラバト　人口:3603万人

漁業と観光が盛んな、独自の文化をもつ。

西は大西洋、北は地中海に面していることから、海産物が豊富で漁業が盛ん。現地では食されないタコなどの魚介類は、日本にも輸出されている。ベルベル人とアラブ人の文化の融合が見られる他、アラブ世界を広く支配したオスマン朝の支配を受けなかったため、独自の文化が育まれた。

地理的には、スペインやポルトガルなどの西欧諸国から近いため、多くの観光客が訪れる人気の旅先。なかでもマラケシュにある「ジャマ・エル・フナ広場」は、最も有名なスーク（市場）のひとつ。日没とともに数百の屋台が一斉に調理を始めると、広場はさながら巨大なレストランと化す。

photo: © Robertharding/amanaimages

ナイル文化圏
NILE BASIN

豊富な水資源で、壮大な文明を築いた。

アラブ世界の東西の境目であるナイル川。その流域にあるエジプトとスーダンは、ナイル川とともに育まれた歴史と文化を共有している。乾燥地帯が多く、水資源が限られているアラブにおいて、豊富な水が得られるナイル文化圏は、他の地域とは異なる独特の文化を育んできた。

エジプト・アラブ共和国
首都:カイロ　人口:9842万人

古代から続く大国、国政の正常化が進む。

ナイル川の氾濫がもたらす肥沃な土壌により、巨大な文明を生み出してきたエジプト。紀元前3000年頃、メネス王が下エジプトを統一し、第1王朝が成立。紀元前2550年頃には、ギザの地に三大ピラミッドが建設された。豊富な観光資源は、エジプト経済を支える大きな収入源となっている。

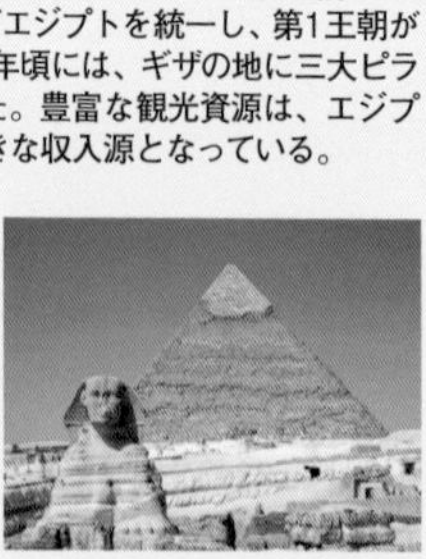

現代社会に目を向けると、2011年に、30年以上大統領の地位にあったムバラクが、抗議デモと軍の圧力によって失脚。民主化が進められたが政治が混乱し、13年には再びクーデターにより政権が転覆するなど、混乱が続いた。14年にシーシが大統領に当選して以降、国政の正常化が加速した。

photo: © R.CREATION/SEBUN PHOTO/amanaimages

スーダン共和国
首都:ハルツーム　人口:4053万人

南部の独立で注目される、イスラム国家。

アフリカ東北部に位置し、国土の大部分は砂漠である。2011年に、キリスト教徒の割合が高い南部が南スーダンとして分離・独立。北側のスーダンは、アラブ・イスラム国家としての行方が注目されている。

モーリタニア・イスラム共和国

首都:ヌアクショット　人口:453万人

油田開発で、主要産業の転換を図る。

西アフリカのサハラ砂漠南部に位置し、大西洋に面したイスラム国家。乾燥した国土が広がるが、オアシスも点在する。20世紀初頭にフランス領西アフリカに編入されるも、1960年独立。2005年から大西洋沿岸の沖合油田開発が本格化したが、主要産業は鉄鉱石と水産品の輸出のままである。

アルジェリア民主人民共和国

首都:アルジェ　人口:4220万人

内戦を乗り越えた、アフリカ有数の産油国。

アフリカ西北部に位置する共和国。国土の大半が砂漠で、地中海に面した沿岸地域に人口が集中している。1954年に始まる独立戦争を経て、62年にフランスから独立したが、92年にはクーデターが勃発。不安定な時期が続くも、その後は民主化と同時に内政と治安の正常化が図られた。

リビア

首都:トリポリ　人口:668万人

「アラブの春」で倒れた、カダフィー政権。

1969年、カダフィー大佐によるクーデターが発生し、王政が廃止。カダフィーは世界各地のイスラム運動や暴力革命主義運動を公然と支援したため、アメリカに一時「テロ支援国家」に指定され、80年代に領土に爆撃を受けた。2011年の「アラブの春」を機に、40年続いた独裁政権は崩壊した。

チュニジア共和国

首都:チュニス　人口:1169万人

アラブ世界で唯一、民主化革命が成功。

北アフリカ中央部の共和国。紀元前9世紀頃にフェニキア人の都市国家・テュロスの植民市としてカルタゴが建設された。以後紀元前2世紀頃まで、カルタゴはチュニジアを中心に、スペインや北アフリカに勢力を及ぼした。2010年、「ジャスミン革命」が起こり、民主制への移行が成功した。

東アフリカ

EAST AFRICA

アラブのパートナーがアフリカ東部に点在。

アフリカ東北部の沿岸地域は、民族的にはアラブではない。しかし、アラブ世界との長い交易の歴史があり、経済的・文化的なつながりが深く、段階的にイスラム化した。紅海の出入り口に位置する地政学的な重要性から、海賊問題やテロ問題に対峙するアラブ諸国と協力している。

ジブチ共和国

首都:ジブチ　人口:96万人

自衛隊も拠点を置いた、海上交通の要衝。

アフリカ北東部にあり、紅海に面した国。古くから海上交通の要衝として知られ、フランス領時代から軍事施設が置かれた。アフリカで唯一アメリカが駐留している国として知られており、周辺地域で発生していた海賊被害に対応するため、日本の自衛隊が拠点を置いたことでも注目された。

ソマリア連邦共和国

首都:モガディシュ　人口:1400万人

無政府状態で、内戦の終結は見えない。

牧畜を生業とする先住民が暮らしていたが、9〜10世紀頃にアラブ人が進出。沿岸都市を建設したことで、しだいにアラブ化した。19世紀にはイギリスやイタリアの保護領となったが、1960年に独立。しかしその後は内戦が激化し、国内では無政府状態が続いている。海賊問題の発生は、記憶に新しい。

コモロ連合

首都:モロニ　人口:85万人

農業と観光が盛んな、のどかな島国。

モザンビークとマダガスカルの間にあるモザンビーク海峡に散在する島嶼。グランドコモロ島、モヘリ島、アンジュアン島の3つからなるが、フランス領マイヨット島の領有権も主張している。サトウキビやバニラ、麻の栽培などの農業に加えて、美しい自然を活かした観光が主要産業となっている。

5つのポイントで、アラビア語の特徴を知る。

　アラビア語というと、日本人にはほとんど馴染みのない言語ではないだろうか。しかし、私たちが普段使っている言葉の中にも、アラビア語由来のものが数多く存在する。たとえば、「キャンディー」。一説では、アラビア語で「砂糖きびから採れた蜜」を意味する「カンド」が語源とされている。「マガジン」は、アラビア語で「倉庫」を指す「マフザン」がその由来。「物を保管する場所」という本来の意味が「知識の倉庫」に転じ、書物の一形態である雑誌を表すようになったという。このように、アラビア語はいまの私たちの生活と決して無関係ではないのだ。

　アラビア語は、言語学的にはセム語族に属す。セムとは、聖書に登場する預言者ノアの長子で、西アジアに広がる諸民族の伝説上の始祖とされる人物。セム語族に分類される言語には、エチオピア語やシリア語などがあるが、なかでもアラビア語は、古代のパレスチナ一帯で使われていたヘブライ語などと同じ中央セム語に属し、アラビア半島北部で生まれたらしい。

　その起源は定かではないが、アッシリアの楔形文字碑文に「アラブの民」の記録が見られるため、紀元前9世紀半ばには使用されていたと推測される。周辺の言語の影響を受けながら、4世紀頃に現在のアラビア語の原型ができたと考えられている。その後、神の啓示を記したイスラム教の聖典コーランがアラビア語で書かれ、イスラム教が広まるにつれて話者が増加し、アラビア語は世界に拡散していった。

KEYPOINT

1 アラビア文字は、右から左へ書くのが基本。

アラビア文字の書法は、右から左へが基本だ。下の図のように、土台となる線を書き補助線や点を加えていく。

下の図の3つの文字は、点線で水平に示された基準線の上に書かれているが、なかには基準線の下にまで伸びる文字もある。文字の基本となる線の上下に打たれる点は弁別点と呼ばれ、たとえば、「ت」（ター）と「ب」（バー）は弁別点の位置と数で区別される。

文字には、基本的に4つの形がある。独立形は、その文字のみを書く場合、語頭形は単語の先頭に書く場合、語中形は文字と文字の間に、語尾形は単語の末尾に書かれる場合の形だ。語頭形や語中形がない文字もある。

カーフ[kāf]（アラビア文字で22番目）

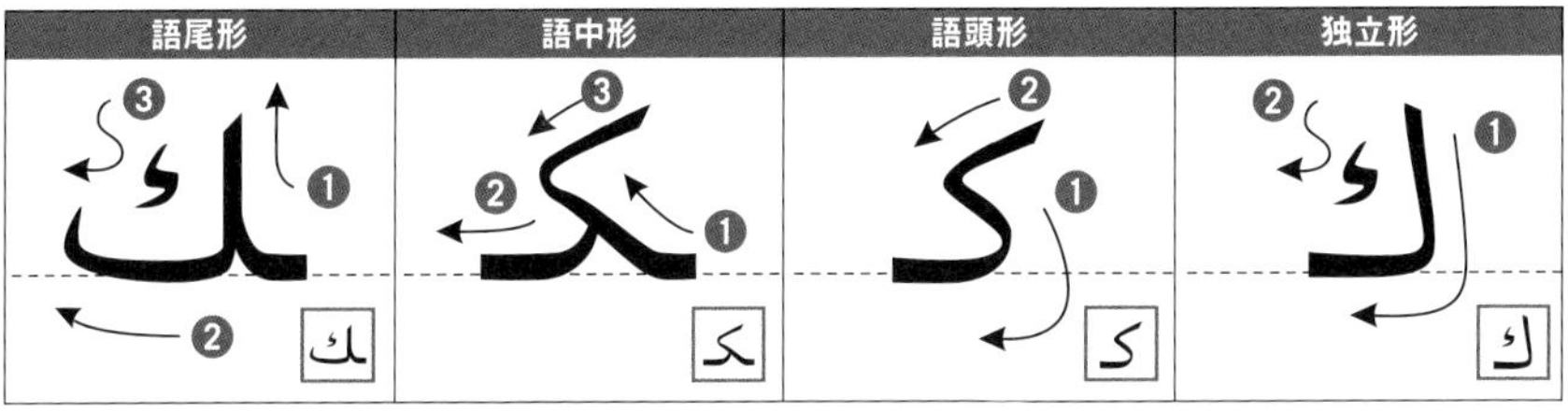

「k」の音価をもつ文字。語頭形と語中形では、右上から斜めの線が書かれ、独立形と語尾形では、S字の記号が添えられる。

ター[tā']（アラビア文字で3番目）

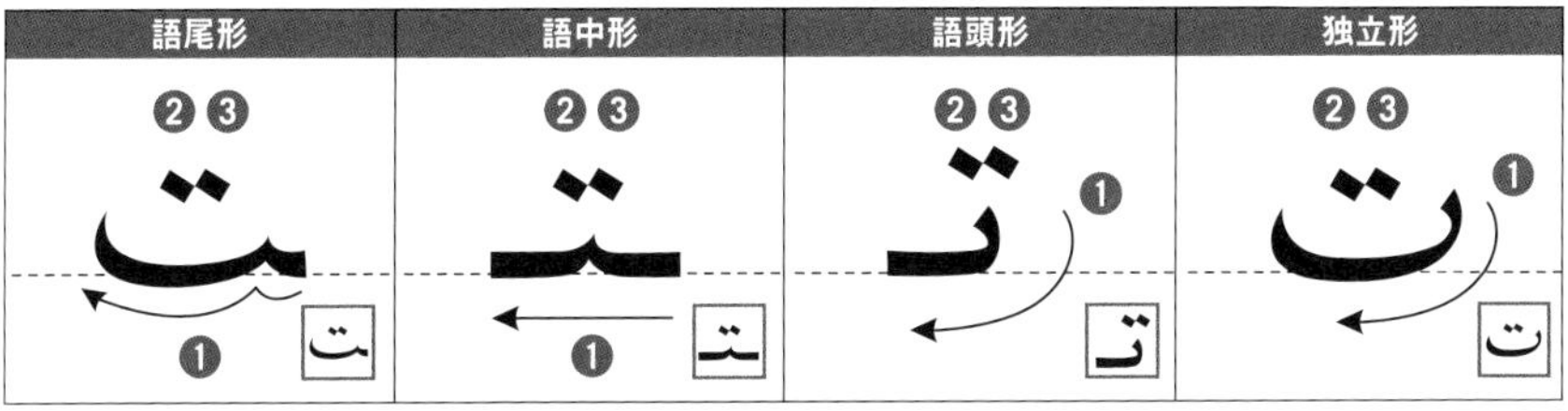

「t」の音価をもつ文字。弁別点を上にふたつ記す。これと似た発音をするものに、音価的により重い「ط」（ター）がある。

バー[bā']（アラビア文字で2番目）

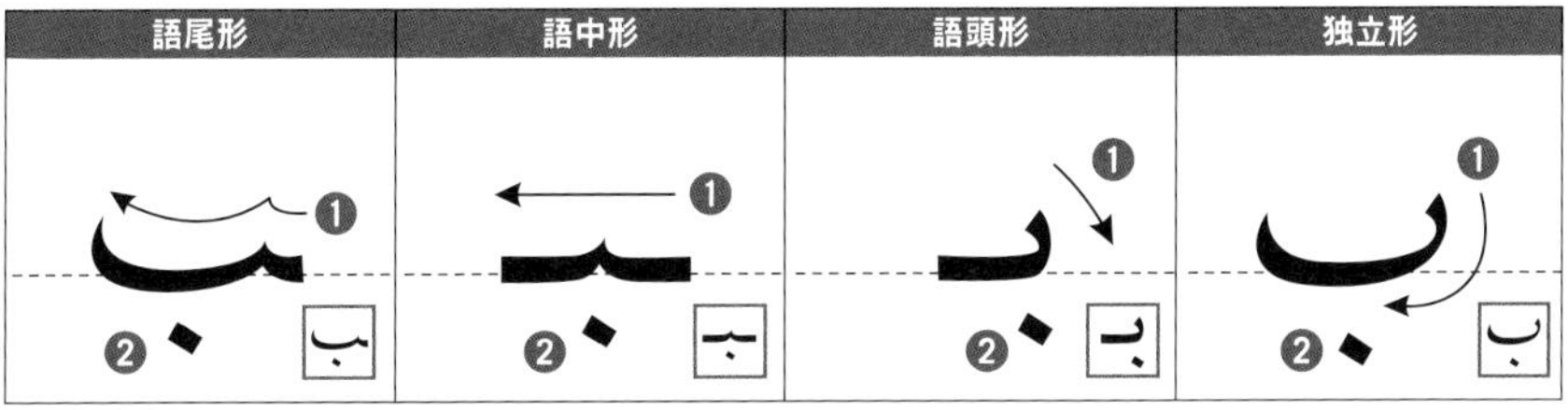

「b」の音価をもつ文字。弁別点を下にひとつ記す。語頭形と語中形では、「ي」（ヤー）や「ن」（ヌーン）などが類似の形になる。

アラビア語の大きな特徴のひとつは、なんといってもその文字と書き順だろう。アルファベットと同じ起源をもち、28の文字を有するアラビア文字。しかし、右から左へと書く理由はいまだ明らかになっていない。岩石などの硬い媒体に文字を記す必要性から、右手で筆記具をもち、外側（右）から内側（左）へ力を込めて書いたことが、書く方向を自然と決めたのではないかとも考えられるが、定かではない。

加えて興味深いのは、アラビア文字には長母音1文字を除き、母音を表す文字がないことだ。特に初期アラビア語には発音記号が記されないことが多く、言語としての厳密性を欠いていた。しかしコーランが成立すると、文字種を区別するための「弁別点」や、発音用の母音記号が付されるようになった。これらにより、読み書きがより正確にできるようになったのだ。

アラビア語の文法は、日本語のそれと大きく異なる。たとえば、語順。目的語は動詞の後に続き、形容詞は名詞を後ろから修飾する。また、3つ、あるいは4つの子音文字で構成される「語根」を基本形として、それにさまざまな文字を追加し、子音文字に付ける母音を変化させることで意味を派生させていく。

一見難解なアラビア語。だが基本的なメカニズムが見えてくると、ぐっと身近に感じられるはずだ。

（橋爪 烈）

KEYPOINT

2 母音を表す際は、文字ではなく発音記号で。

アラビア文字は、長母音を示す「ا」（アリフ）を除いてすべてが子音だ。このため、発音する際には、発話者が母音を加えて発声する。母音が異なれば意味も変化するので、文意がわからなくては正しく音読できない。

そこで、コーランのように正確な読みや発音が求められる場合や、発音の違いが文意を大幅に変化させる場合は、文字の上下に適宜、母音記号が記される。

下の図に示された4つが、アラビア語の母音記号だ。たとえば、「バー」の文字は、「ファトハ」を付すと「バ」、「カスラ」を付すと「ビ」、「ダンマ」を付すと「ブ」とそれぞれ発音する。「スクーン」は子音のみの場合に付す記号で、母音がないことを示している。

ファトハ	カスラ	ダンマ	スクーン
「a」(ア)の音を示す	「i」(イ)の音を示す	「u」(ウ)の音を示す	母音がないことを示す
◌َ	◌ِ	◌ُ	◌ْ

KEYPOINT

3 動詞が大活躍! 人称や数の情報も含む。

アラビア語は、動詞を基本に言葉をつくり出す。その基本形となるのが、3つの子音文字で構成された「三語根動詞」だ。

下の図の単語は、「ك」（カーフ）、「ت」（ター）、「ب」（バー）の3文字に、それぞれ「a」の母音を付した基本形「カタバ」。「彼は書いた」という文をひとつの単語で示している。この動詞には、主語となる人称、数、性、そして時制という4つの情報が含まれており、この場合、三人称・単数・男性・過去であることがわかる。

この三語根の形が、辞書の見出し語となる。あとは文法に従い、文字を加えたり、母音を変えたりすることで、基本形のもつ「書く」という概念から言葉を派生させていくのだ。

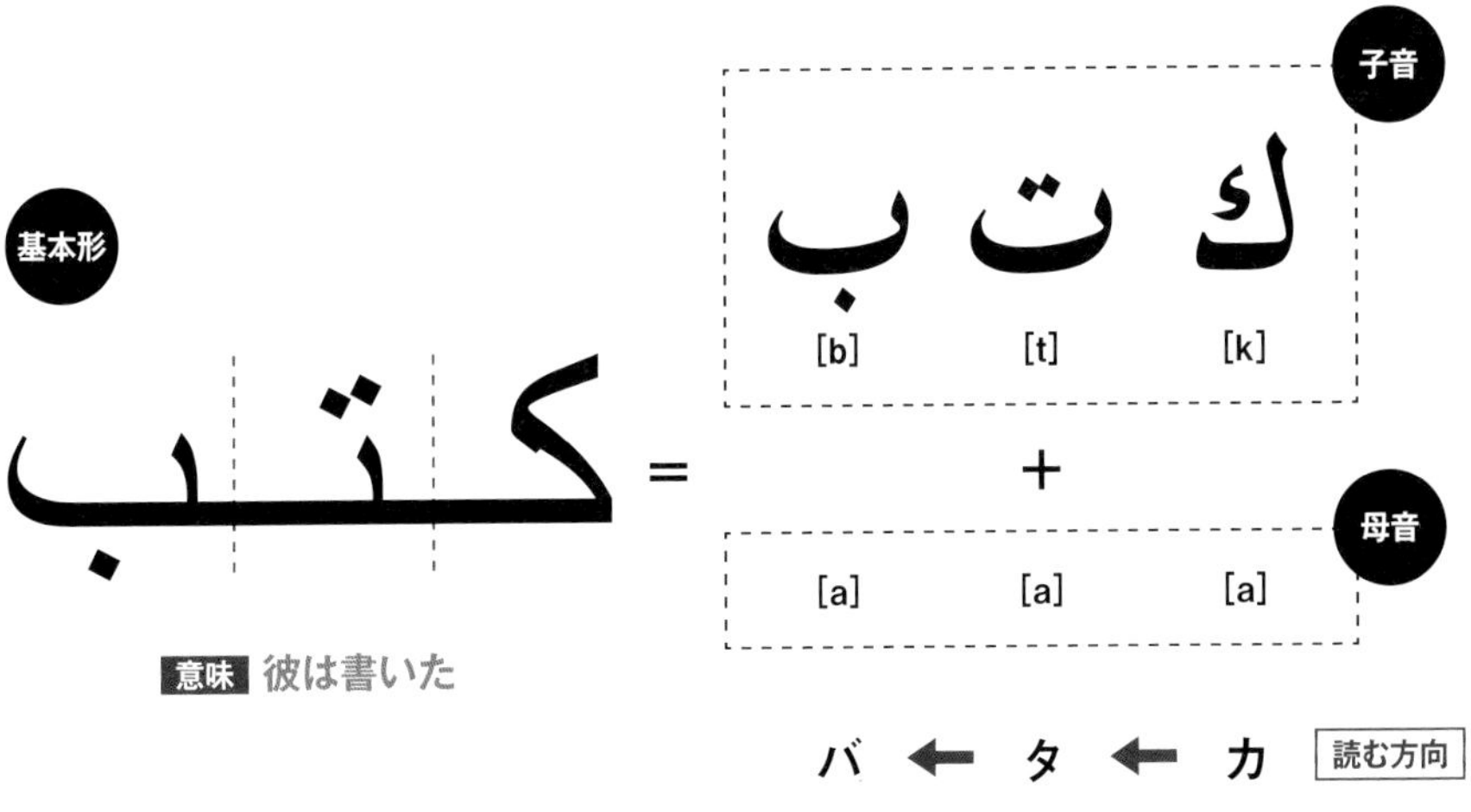

KEYPOINT

4 「付け加える」ことで、意味はどんどん広がっていく。

「派生」という操作によって、基本形のもつ概念に関連した意味の動詞や名詞を生み出していくのが、アラビア語の最大の特徴である。そのメカニズムを、KEYPOINT3で紹介した基本形「カタバ」を例に見てみよう。

下の図の2段目には、基本形に「ا」（アリフ）を加えた、「カーティブ」と読む名詞が示されている。能動の意味をもつことから、書く人を指し、転じて書記や作家などの書くことに関連した職業を示す。

また、下の図の3段目の単語は、「م」（ミーム）と「و」（ワーウ）を加えた、「マクトゥーブ」と読む受動の意味をもつ名詞。書かれた物のことを指すが、転じて、手紙や、（神によってあらかじめ書かれたものとしての）運命を意味する。このようにアラビア語は、基本形に文字を付け加えて、多彩な意味を表現するのだ。

動詞「書く」の変化の例

●基本形（文）

「彼は書いた」 = ك [k][a] ت [t][a] ب [b][a] = كتب [kataba]（カタバ）

●名詞（能動形）……「ا」（アリフ）が加わる

「書く人」 = ك [k] ا [a] ت [t][i] ب [b] = كاتب [kātib]（カーティブ）

意味 書記、作家など

●名詞（受動形）……「مَ」（ミーム）と「وْ」（ワーウ）が加わる

「書かれたもの」 = م [m][a] ك [k] ت [t] و [u] ب [b] = مكتوب [maktūb]（マクトゥーブ）

意味 手紙、運命など

KEYPOINT

5 こんなに違う! 書き言葉と話し言葉。

8世紀中頃に古典アラビア語文法が完成をみて以降、書き言葉としてのアラビア語は、ほとんど変わっていない。しかし、イスラム教の伝播に伴い、広大な地域に広がったアラビア語は、各地域の文化やそもそも話されていた言葉の影響を受けた。その結果、方言という形で、地域固有の発音や語彙が発達したり、文法的な変化が起こったりした。これら話し言葉を総称して、アーンミーヤ（民衆の言葉）と呼ぶ。

書き言葉（フスハー）と話し言葉の違いを、「これはなんですか？」という例文で見てみよう。下の図のように、書き言葉では「マー ハーザー」とされるところが、シリアやエジプトの方言ではかなり変化している。

→ 書き言葉（フスハー） **共通**

ما هذا؟
[mā hādhā]
マー ハーザー

→ 話し言葉（アーンミーヤ） **地域によって違いあり**

シリアでは…
شو هادا؟
[shū hādā]
シュー ハーダー

エジプトでは…
أيه ده؟
[ēh da]
エー ダ

意味 これはなんですか？

アラブの
美とは何か。

この地域に根付く、アラブの美について。

カーバ神殿は幅12m、高さ15m、奥行10mの石造建築。黒い絹布（キスワ）は毎年掛け替えられる。世界中のイスラム教徒はこの神殿に向かって礼拝し、巡礼者は左回りに神殿を巡り、神殿を中心に水紋状の世界観が構築される。

photo:© Getty Images

アラビア語と文字が、美を構成する根源にある。

文・深見奈緒子　NAOKO FUKAMI

●博士（工学）。著書に『イスラーム建築の世界史』『世界の美しいモスク』、編・共著に『イスラム建築がおもしろい！』など。２０１５年より日本学術振興会カイロ研究連絡センターのセンター長を務める。

およそ西はモロッコから東はイラクまで、アラビア語を話す人々が暮らすアラブ諸国。この広がりは7世紀、アラビア半島に現れた預言者ムハンマドによるイスラム教の伝播に由来する。

　中緯度の乾燥地域という類似性はあるものの、イスラム化以前にはそれぞれの民族が異なる文化を培っていた。古代ローマ帝国のもとでキリスト教化した地中海世界があり、ササン朝ペルシャ帝国のオリエント世界があり、アラビア半島はその狭間に位置した。イスラムは双方の古代の美を吸収し、そして風土を基盤に美を再編。さらに、各地の美を取り込んでいった。

　アラブの美の本質を見て取れる最たるものは、アラビア語とアラビア文字だろう。イスラム教徒にとって最も神聖なカーバ神殿の扉や神殿を覆う絹布「キスワ」にも、アラビア文字による神の言葉が記されている。アラビア半島ではイスラム以前から詩の文化が発展したが、それに寄与したのがアラビア語。多様な派生形があり、対をなす双数という概念があり、章句の繰り返しがある。韻を踏む美しい響きは詩の発展を促し、また造形芸術における対称性や反復表現へとつながっていった。反復とそのバリエーションは、タブラ（太鼓）のリズムにのるアラブ音楽の旋律にも似て、循環することで陶酔感をも引き起こすのだ。

　光とその煌めきもアラブの美における重要

な要素だ。コーランの光の章にみるように、光は神の美称のひとつであり、カーバ神殿を覆うキスワは、漆黒の地に輝く金糸銀糸でアラビア文字が綴られる。夜空に煌めく星は幾何学文様のモチーフとなり、天国を象徴するドームの内部を美しく装飾した。

　アラブの美に磨きをかけたのはイスラム教の広まりだ。預言者ムハンマドによる簡素なモスクに始まり、アーチ形のミフラーブや高くそびえるミナレット、空間を包み込むドームなどが加わった。そしてイスラム教が偶像崇拝を否定することから、幾何学、文字、様式化された植物といった文様が特異に発達。これらの文様は小さな単位の反復によって全体を覆い、全体構成や配置では対称性が重視された。さらに、神の前に人間は無力な儚い存在で、神と出会うためには忘我の境地に至らねばならないという思想から、ひとつのものを極める美学が生まれた。それは、アラビア語書体や文様の多彩さ、あるいは建築様式の発展にもつながった。

　ではアラブの原点であるアラビア半島独自の美とはどんなものだろうか？

　砂漠地帯を移動しながら暮らす遊牧民は、過酷な砂漠に対して憧憬にも似た畏敬の念を抱き、水があふれ緑豊かな庭園を理想の楽園像とした。無機質で茫漠たる砂漠をさまよい、やがてたどり着いたオアシスにはナツメヤシが林立、幹を見上げると天面は緑の枝葉が覆い尽くしている——。アラブの美の原風景は、このように単調な砂漠とオアシスという構成にある。

　古代からの東西の美を再編した基盤は、この素朴な美意識にあるように思う。ペルシャやトルコの華麗で繊細な美とは異なる、素朴で力強い美。これは建築から工芸に至るまで、あらゆるものの根底にあるのだ。

古代の様式を導入し、発展したイスラム建築。

ミフラーブ

魅惑的なアーチが、祈りの方角を示す。

イスラム教徒はメッカのカーバ神殿に向かって日に5回の礼拝を行う。この方向を示すために、大多数のモスクに備えられるものがミフラーブである。モスクの奥壁（メッカ側の壁、キブラ壁ともいう）にアーチ状の窪みの形を採ることが多く、手の込んだ秀作も多い。この形状は、ユダヤ教会堂「シナゴーグ」の聖典を納める聖櫃や、キリスト教会堂のアプス（壁面に設けられた窪み）の影響だ。脇にはミンバルと呼ばれる説教壇が設置される。数に決まりはなく、複数のミフラーブが備えられる例もある。大きさもさまざまで、絨毯やタイル製など、持ち運びのできるものもある。預言者ムハンマドの時代には、壁に槍を立てかけて礼拝の方向を示していたという。

スルタン・ハサン・モスク

1356年〜1363年　マムルーク朝
エジプト、カイロ

板状の色大理石を用いた幾何学的な装飾、アーチを支える円柱などは、古代地中海世界に根付いた様式だ。黒地に金色でアラビア語が描かれ、全体を引き締めている。このモスクはミフラーブの手前にモスク中庭と4法学派のマドラサ（高等教育機関）、奥には寄進者の墓廟をもつ。壮麗さを誇る建築だ。

photo: © SHASHIN KOUBOU/SEBUN PHOTO/amanaimages

長い年月にわたり、広い地域で生み出されたイスラム建築。時代や地域による特色が顕著だが、共通性もある。その根源は聖典コーランとそれを綴るアラビア語の存在だ。加えて、他者を受け入れ、取り入れていく姿勢も共通性を獲得した理由と考えられる。

イスラム教が生まれた頃、アラビア半島に生きるアラブ族は素朴な造形をもつのみだった。彼らは古代の地中海世界やオリエント世界の技法や様式を導入。アラビア半島の風土から生まれた美の感性に、さまざまな要素を調和させた。モスクの壁につくられメッカの方向を示すミフラーブや、イスラム施設に付随して建てられるミナレットは、同じく一神教のユダヤ教やキリスト教から影響を受けている。

さらに、イスラム教の誕生後、初期に広まった地域が中緯度乾燥地帯であったことも、共通点を生んだ。そのひとつは、彫刻的な建築ではなく囲む建築が多く、空間の創出を大事にするという点だ。建築の見せ場は内部に広がる中庭であり、外部に対して堂々たる姿を見せつけはしない。列柱は生い茂るナツメヤシのように果てしなく並べられ、自分の位置を忘れさせる。ドームは天空のように、空間を包み込む。第二に、乾燥地帯の自然は厳しく、理想の楽園像が囲われた人工の庭園に見出されたことだ。人々は、最後の審判の後に訪れる来世の楽園像を、現世におけるこういった庭園に求めた。

アラブには大まかに、5つの地域色を見ることができる。アラビア半島では立方体のカーバ神殿が象徴的な存在ではあるが、遺構は少ない。一方、半島南部のイエメンには素朴ながら力強い建築が残る。

地中海東岸のヨルダンまでを含む大シリアでは、古代建築の影響が濃厚で、ダマスカスのウマイヤ・モスク（45ページ参照）や東エルサレムの岩のドーム（36〜37ページ参照）は代表例である。

ミナレット

高くそびえる尖塔は、時代ごとに変化。

日に5回の礼拝の呼びかけ（アザーン）を行う塔。ミナレットは英語読みで、アラビア語ではマナーラと呼ばれる。イスラム教の誕生当初はまだこの塔はなく、メディナのモスクの屋上からアザーンが唱えられた。キリスト教の鐘楼や灯台の形を借り入れたため、初期は立方体の角塔で、メッカへの軸線の手前にひとつだけ、堂々と立つものが多い。9世紀に螺旋形の塔がイラクで発案されるものの、普及はしなかった。12世紀になると煙突形の塔がイラク、イラン、中央アジアで好まれ、ふたつの塔をもつ形式が生まれた。エジプトのマムルーク朝では、断面形を変化させ装飾的な塔が建てられた。ミナレットの数に決まりはなく、多数の塔をもつモスクもある。

クトゥビーヤ・モスク

ミナレット完成　1154年～1162年
ムワッヒド朝
モロッコ、マラケシュ

高さ77m、下部は13m四方の巨大な角塔。内部には回り階段が仕込まれ、頂部に縮小させた塔が載り、その最頂部にドームがある。赤砂岩造りで、アクセントとなるのが頂部の青い釉薬タイルの幾何学装飾。塔身には馬蹄形アーチ、多弁形アーチ、アーチの交差、レース状の文様など、北アフリカのマグリブ特有の装飾がなされている。

photo: © JOSE FUSTE RAGA/SEBUN PHOTO/amanaimages

ズワイラ門のミナレット

1419年〜1420年
マムルーク朝
エジプト、カイロ

10世紀につくられた矩形都市アル・カーヒラ（カイロの名はここから派生）のズワイラ門の上に建てられた、対のミナレット。この門の北西にあるスルタン・ムアイヤッド・モスクの塔として建設された。石造りの塔で、八角形の塔身をムカルナス（鍾乳石飾り）で張り出したバルコニーで区切っていき、頂部には宝珠が載っている。

photo: © SHASHIN KOUBOU/SEBUN PHOTO/amanaimages

ナイル川の賜物とも言えるカイロを中心とするエジプトは、外界からの影響に敏感で、初期、中世、近世の時代的差異が明確に見て取れる。なかでも、ペルシャ建築から影響を受けたトルコ族が推進したマムルーク朝（１２５０年〜１５１７年）の石造建築が白眉である。その姿は、装飾的でありながら、色彩は控えめで恭謙だ。

地中海南岸のマグリブ（北アフリカ）では、イスラム教初期の伝統を保ちつつも、繊細さを極めていった。ミナレットはいつの時代も角塔の形を守り、ドームは飾り天井となり、多彩なタイルや漆喰細工などによって繊細な美を追求していった。

チグリス川、ユーフラテス川沿いのイラクでは、古代オリエント建築を継承し、レンガやタイル、大ドームの使用などペルシャ的な傾向が強い。ミフラーブやミナレットなどイスラム建築を構成する要素からアラブ地域の建築の美に触れてみよう。（深見奈緒子）

アブー・ドゥラーフの大モスク

861年　アッバース朝
イラク、サーマッラー

螺旋形の塔はサーマッラーに2基、カイロに1基（41ページ参照）が知られており、いずれも9世紀の建造。その形は古代バビロンのバベルの塔に由来するとも言われる。外側の斜路をたどり頂部まで人が登ることができる。アッバース朝は首都をバグダッドからサーマッラーに遷都、これとうりふたつの「ムタワッキルのモスク」も建設した。

photo: © AGF/UIG/amanaimages

ドーム

室内に天空を生み出す、壮麗な建造物。

ドームは、イスラム教が広まる前から地中海とオリエントに、それぞれ異なる技法が存在したが、基本的にレンガや石など小さな部材を寄せ集めて大空間を構築していた。天空を象徴するような曲面の天井に包まれた大空間は、モスクの主礼拝室、あるいは墓室や宮殿の玉座の間などに好んで使われるようになる。ドームもアーチも起源はイスラム以前だが、イスラム建築を通して極度に発展した技法のひとつだ。10世紀頃まで、大方のドームは直径5mほどと小規模で、モスクの礼拝室のミフラーブ前などに設置された。11世紀以後、ペルシャで大ドームが復活し、アラブにも伝播した。内部空間だけでなく、ドームの外面にも美しい装飾が施された建築物もある。

ムハンマド・アリー・モスク

1830年〜1848年
ムハンマド・アリー朝
エジプト、カイロ

カイロの城塞にそびえる近代のモスクで、オスマン朝にイスタンブールで確立した技法を採用。高くそびえる中央ドームの四辺に半ドームを接合し、四隅に小ドームを配置する。手前下の半ドームはミフラーブを覆う。ミナレットも、細い塔身に錐状の屋根をいただく鉛筆形で、オスマン朝の影響を見せ、建物の隅に立つ。

photo：SIME/AFLO

岩のドーム

691年　ウマイヤ朝　イスラエル、エルサレム

預言者ムハンマドが生前、天国に向け「夜の旅」へ出発した岩を記念し、ドームが構築された。直径20mに達する円形平面に、船大工の技術を用いた木造ドームで、オスマン朝時代に大規模修復。下部の白と黒の大理石によるパターン、円柱とその柱頭、ドラム部分にあるガラスモザイクの渦巻にウマイヤ朝の特色が見える。

photo：© PPS

カーイトベイの墓廟

1474年　マムルーク朝
エジプト、カイロ

カイロ郊外にある「死者の町」のモスクを中心とした葬祭施設に付設された、寄進者スルタンの墓廟。ドームの外側は石彫りで、星形幾何学文様に仕立てた植物文様で覆われている。ドームの下に高さを増すために円筒部分があり、その下の部分（3連のアーチと3つの丸窓）が、四角い部屋にドームを載せるために工夫された部分となる。

photo : © PPS

ファラジュ・イブン・バルクーク修道院の墓廟

1400年～1411年　マムルーク朝
エジプト、カイロ

修道院とモスクを中心とした葬祭施設に、寄進者の父（バルクーク）をはじめ男性の墓（写真）と、女性たちの墓が対で建設された。内径14.3mでマムルーク朝最大級のドーム。四角形墓室にドームを載せるためにムカルナス（鍾乳石飾り）によって、しだいに円形に変化させている。高窓から入る光に赤と黒の装飾が映える。

photo : Mondadori/AFLO

中庭と列柱

中庭と柱を活かし、大きな祈りの場をつくる。

預言者ムハンマドはメディナで最初のモスクをつくった際、日干しレンガで囲った中庭を設け、壁に沿ってナツメヤシの幹を立て、その葉で覆った空間を利用した。礼拝の場をつくる際、これにならった特徴として中庭と列柱が挙げられる。金曜日の昼に大勢のイスラム教徒が一緒に礼拝できる大モスクの必要から、多目的に使える中庭が重宝された。加えて古代建築からの転用材を立て、隣り合う柱にアーチをかけてアーケードとし、平行するアーケードに平屋根をかけ、広い礼拝室を設える技法が確立した。そのため、地中海沿岸部のモスクには、不揃いな円柱や柱頭からなる大モスクが多い。列柱が林立する礼拝室に加え、中庭の周囲にも柱が並び、通廊部となる。

photo：© Ivan Vdovin/awl images/amanaimages

イブン・トゥールーン・モスク

876年　トゥールーン朝
エジプト、カイロ

右の航空写真で見える、広大な中庭の上方が多柱室の礼拝室。3面に回廊を巡らし、さらにその外側に外庭を設けている。外庭の西側に螺旋形のミナレットがあり、中庭の中央部には沐浴のためのドーム建築が1296年に付設された。回廊や礼拝室は円柱ではなく、構造柱（ピア）の上にアーチをかけ、バグダッドからの影響が見られる。

photo：© Yann Arthus-Bertrand/Getty Images

photo : © Alberto Biscaro/Masterfile/amanaimages

photo : Jose Fuste Raga/AFLO

カイラワーンの大モスク

836年〜874年　アグラブ朝
チュニジア、カイラワーン

礼拝室は平天井だが、中央廊の中庭側と奥のミフラーブ前に、特別にドームを載せ、メッカへの軸線が強調されている。軸線手前には、各所から水が湧く沐浴用の泉を設置(左写真)。古代建築から転用した不揃いな円柱を格子状に並べ、柱頭の上に立方体の土台を載せ、その上に馬蹄形のアーチをかけ、広い礼拝室をつくっている(上写真)。

装飾

文様や技法を駆使して、空間を美しく飾る。

イスラム教は偶像崇拝を否定しているため、抽象的な文様が極度に発展した。文様は大まかに、幾何学、アラビア文字、抽象化された植物（アラベスク）の3種があり、それぞれ多様で、かつ各々を組み合わせることも多い。装飾が施される素材には石、テラコッタ(焼き締めレンガ)やタイルなどの焼き物、スタッコ(漆喰)、木、ガラスなどが使われた。その技法には、絵の具での彩色、浮き彫りなどの彫刻、打ち抜き細工、小さな部品を寄せ集めるモザイクや寄木、母石に埋め込む象嵌などのバリエーションがある。色彩は、レンガや石の自然で控えめな色に加え、釉薬や顔料を用いた多彩も好まれた。素材、技法、色彩ともに、地域や時代によって、嗜好の差異が大きい。

アッバース宮殿
12世紀後半〜13世紀前半
アッバース朝
イラク、バグダッド

中庭を囲む周廊の天井部分のムカルナス(鍾乳石飾り、蜂の巣天井)。これは、アーチで縁取られた小曲面を数多く組み合わせて立体的な造形をつくる、イスラム特有の技法である。有機的に見えるが、その配置には幾何学的法則が貫かれる。テラコッタでつくられた小曲面にも、植物文様が彫り込まれている。

photo : © Hulton Archive/Getty Images

ウマイヤ・モスク

706年～714年　ウマイヤ朝
シリア、ダマスカス

ヨハネ教会堂の敷地に、その建築材を再利用して建設されたモスク。礼拝室の中央廊には破風(左写真、屋根の妻側)が見え、初期キリスト教建築からの影響が明らかだ。木々や川と高楼を描いたガラスモザイク(上写真)は、キリスト教徒の工人によるもの。コーランに謳われた天国を象徴しているものの、具象的な表現はモスクではまれである。

photos : © PPS

サード朝の墓廟群

1557年～1603年　サード朝
モロッコ、マラケシュ

床面と腰壁に色彩豊かな幾何学文様のタイルモザイク、その上部に植物文様を中心に帯状のアラビア語の文字文様で区画するスタッコ(漆喰)細工の壁が続く。アーチの内弧面や奥部のニッチにはスタッコのムカルナス(鍾乳石飾り)の立体的な造形が施され、天井部は寄木細工やスタッコのムカルナスで覆われている。

photo : © Corbis Documentary/Getty Images

住民の暮らしを守る、迷路のような旧市街。

静謐で美しいモスクと、それを取り囲む喧騒に満ちたスーク（市場）やハマーム（公衆浴場）。そして、よそ者を拒むように入り組んだ路地。シリアのダマスカス、モロッコのフェスやマラケシュといった都市に残る旧市街は、その迷宮性と混沌で旅行者を魅了する。

現在はアラビア語でメディナと呼ばれる旧市街は、無秩序のように思えるがそうではない。ダマスカスとフェスを例にその成り立ちを見てみよう。

世界で最も古い都市のひとつとして知られるシリアの首都ダマスカス。東ローマ帝国時代を経て、イスラム教が誕生して間もない640年前後にイスラム勢力の支配下になった。

イスラムの都市は街の中心にモスクを置

ダマスカス旧市街

碁盤の目が崩れて都市が発達していったのがダマスカス旧市街だ。

街は東西交易の交差点として発展したため、イスラム勢力の支配下に収まるまではエジプトやペルシャ、ギリシャやローマ帝国などに支配されてきた。イスラムによる支配後も十字軍やモンゴル帝国の襲来などを経験した。

また、ダマスカスは伝承の舞台としても度々登場する。天国を追われたアダムとイヴが降り立ったのはダマスカス北部のカシオン山と言われ、ここはアダムの息子カインが弟のアベルを殺した場としても知られる。また聖パウロはダマスカスを訪れる途中で回心し、イエスの使徒になるなど、キリスト教にとっても重要な都市だ。現在も各所にキリスト教の教会がある。

A ダマスカス城砦
B スーク・ハミディーエ
C スーク・ミドハド・パシャ（スパイス・スーク）
D サラディン廟
E ウマイヤ・モスク
F アゼム宮殿
G まっすぐの道
H セント・メアリー教会
I トーマスの門
J 東門

地図提供：新井勇治（愛知産業大学）

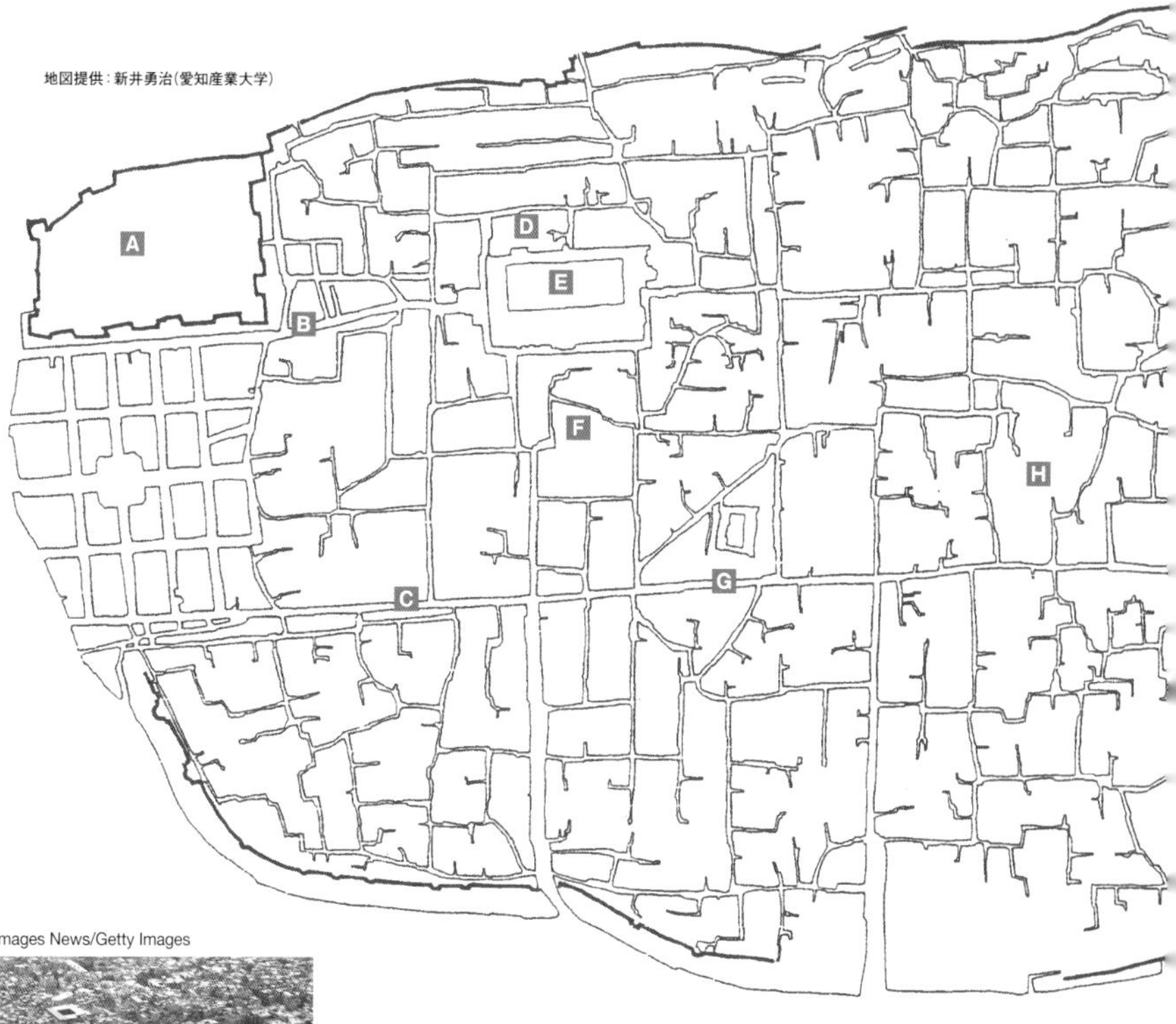

photo：© Getty Images News/Getty Images

ダマスカスの中心であるウマイヤ・モスクはもともと、古代ギリシャ・ローマ時代に建てられた神殿に端を発する。時代の変遷とともにイスラム教の宗教施設となり現代に至る。

photo：Roberthardin g/AFLO

ウマイヤ・モスクを中心に広がるスーク（市場）はダマスカスの魅力のひとつ。モスクへ導くように通りが延びる様子は、聖と俗が区分されながら共存する日本の門前市のようだ。

く。ここダマスカスのウマイヤ・モスクは8世紀初頭に建設された、現存する世界最古かつ最大級のモスク。のちのモスクの規範となったと言われるが、この施設は一から建築したわけではなく、もともとあったキリスト教の教会を改築したもの。異教であるローマやビザンチンの建築様式がいまも色濃く残るのはそのためだ。

地図提供：新井勇治（愛知産業大学）

ダマスカスという街自体も、既存の都市を上書きする形でイスラムの都市へと改変された。アゴラ（広場）を中心につくられたギリシャ・ローマ時代の都市計画による碁盤目状の道を、現代の地図に確認できる。いまも残る街の東西を貫く直線の大通りは、新約聖書にも記された「まっすぐの道」だ。

この碁盤目状が崩れていったと推定されるのはローマ時代末期から。支配が緩み、もともとあった大通りに人々がせり出しては店や家を構え、この繰り返しで入り組んだ道が生まれた。そして、東ローマ帝国を追い出したイスラム勢力は、この状況を容認した。

もうひとつの例、モロッコのフェスは、789年にゼロから建造した都市。イスラムの支配層が街づくりの末端までを管理せず街区ごとに自治を認めたという傾向が、はっきりわかる例だ。自治を認めたことで、曲がりくねった道が連続する迷路状になった。

ハーラと呼ばれる街区には、同じ職種や出

photo : © PPS

迷宮のようなフェスの路地。曲がりくねった通りの上には建物の2階や看板がせり出していて、トンネルのようにも見える。

photo : © NurPhoto/Getty Images

建物がびっしりと立ち並ぶ旧市街「フェス・エル・バリ」。フェス川西岸のカイラワーン地区と東岸のアンダルース地区から成り、厚い壁で囲まれている。人の行き来は8つの門から。

フェス旧市街

ゼロから建造されたフェスは、典型的なアラブ圏の旧市街がいまも残る。

789年、モロッコ初のイスラム王朝「イドリース朝」を興したイドリース1世が遷都したことで歴史が始まる。しかしイドリース1世は暗殺され、跡を継いだ息子のイドリース2世が街の建設を進めた。旧市街の中で最も古いエリアが「フェス・エル・バリ」（古びたフェス）。11世紀に興ったムラービト朝により首都はマラケシュに移るが、13世紀に興ったマリーン朝が再びフェスを都とする。この時に建設されたのが「フェス・エル・ジャディード」（新しいフェス）。20世紀にフランス保護下で発展した近代的な新市街を含め、3つの時代に生まれた地区が、このユニークな街を構成する。

K ブー・ジュルード門
L ブー・イナニア・マドラサ
M タラー・ケビーラ（メインストリート）
N ギッサ門
O なめし革染色工場
P ザウィア・ムーレイ・イドリス廟
Q カラウィーン・モスク
R ルシーフ広場
S アンダルース・モスク
T フトウ門

身地、民族の人々が集まって暮らしていた。近代までは街区の入り口に門があり、人の出入りをコントロール。よそ者を入り込ませない仕組みで住民の安全な生活環境を確保したという。女性の姿を公にすることを避けるという点でも、このような都市のつくりは理にかなっていた。

一方、混沌の中に秩序があることを示す好例が、スークにおける商店の並び。ランダムなようでいて、中心近くには高級品、モスク周辺は本や装身具、礼拝に使う絨毯など、そして門の近くは運搬の頻度が高い日用品や食料品の店が並ぶ。ここにマクハー（喫茶店）やハマームが加わり、社交と寛ぎの場として賑わった。

外からは混沌と見える旧市街は、こうして歴史や街の人々の意図が織り上げたものなのだ。

中庭つき住宅で
プライバシーを守り、家族と寛ぐ。

住民だけが行き交うような、ハーラ（街区）の細い路地。その先々にある住宅の外扉を開くと、そこはいっそうの静寂が広がる。外に向けて豊かさを披露することをよしとしないイスラム世界で、豊かさは家族で享受するもの。旧市街を歩いていても、街路に面した外壁に飾り気はない。イスラム圏に限らず、もともと地中海文化は外より内を重視してきたという。

旧市街は、幅広いジャンルにまたがるシャリーア（イスラム法）で公私の境界線が決められている。多くの住居はハーラの細い路地や袋小路に立ち、道に面した扉の先に、カギ状に曲がった玄関通路が続く。これは路地から内部をのぞき込まれないための工夫だ。地域によってはこの通路の途中に設けたスキーファやハシュティーと呼ばれる接客スペースで来客を迎え、さらに家族のプライバシーを守る。

この玄関通路を抜けた先に広がるのが中庭だ。一部の地域を除いて、中東では中庭をもつ住宅が一般的。中庭は家族の寛ぎの場であり、親しい友人を招く場や作業場、木々や噴水を愛でる場所でもある。

中東における中庭の起源はイスラム社会よりも古く、紀元前２０００年以前までさかのぼる。なるべく狭く、高密度に住まうことで都市の防御性を高め、敷地を囲うように石やレンガなどを積み上げて中庭を残すことで、土地の効率性を重視した。やがて、外気や光を得る空間に樹木を植え、水を引き込むことで豊かな風景を内部に生み出した。これはどこかコーランに描かれる楽園を思わせるもの。それを具現化したのが庭であるのかもしれない。

イスラム世界は広範にわたり、気候などによって中庭の形状や役割は異なる。たとえばシリアのダマスカスなど地中海から東側の地

半戸外のイーワーンは、イスラム版の縁側。

中庭に面した半戸外で、アーチ開口の下にある広間をイーワーンという。北に面して置くことで夏の強烈な日差しを遮り、日本における縁側のような役割を果たす。半公的なこの空間で来客をもてなし、家族の団らんも行う。現在はここに家電を持ち込み、夏の多くの時間を過ごすのに使われるという。一方、冬はあまり使われない。

photo : © LightRocket/Getty Images

地域ごとに異なる、中庭の用途やスタイル

ダマスカスにおける中庭。シリアやヨルダンは敷地の3割〜半分ほどの中庭にこのような小型の噴水を設置する。地域により中庭の形状や使用方法は異なり、3〜5階建てなど階高の高い住宅が多いカイロの中庭は、採光・通風の場。室内噴水を設けた上階から眺める場でもある。敷地の半分程度を中庭とするイランや中央アジアは、中庭に噴水や泉を設置し、樹木を植える。

photo : © PPS

ダマスカスの伝統的な住宅の例

立面図

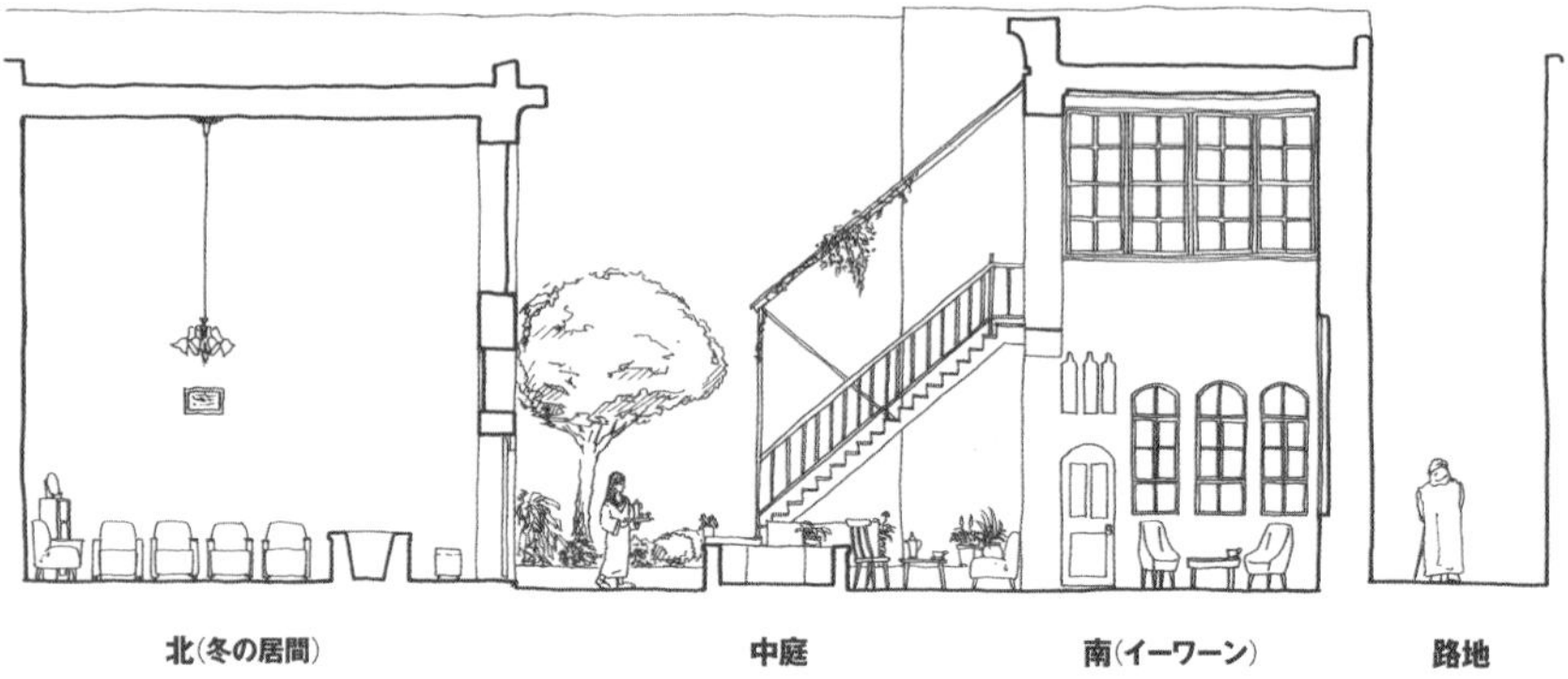

中庭を中心に、上下の空間で公私を使い分ける。

ダマスカスの伝統的な住宅は大小を問わず、樹木や噴水などをもつ中庭式を採用。2〜3階建てが多く、1階は石造り、2階以上は木枠に砕石や土を詰めて漆喰で仕上げる。左の平面図のように、中規模以上の住宅は北に向いてイーワーン(広間)をもつ。中庭やイーワーンがある1階は外部に接して公共性が高く、2階以上に家族の居室などを配置してプライバシーを守る。大きな通りは格調の高い家が多く、街区の内側にいくほど住宅の規模は小さくなる。

域は、中庭に樹木や水を取り込んで人工的な自然をつくる。過酷な環境のため水や樹木を取り入れにくいモロッコなどは、タイルで人工的な美を中庭につくり出した。それぞれに暑い夏の環境に適応するために進化させていったが、パブリックとプライベートをつなぐ機能をもち、より私的な空間である各居室につながる空間であることは共通している。また中庭は複数つくる場合もある。その数や大きさ、噴水の有無は豊かさの象徴であり、格式の高い家では天井や鴨居に貴重な木材を使って装飾を施したり、床に大理石やタイルを敷き詰めた。

　こうした中庭のある住宅は大家族に適したもので、核家族化が進んだ近年は、旧市街を離れて現代的な住空間を選ぶ人が増えたという。一方で再評価も進み、現代的にアレンジをして暮らす若い世代も登場。このあたりは世界共通のトレンドなのかもしれない。過酷な気候のなか、心地よさを追求して先人たち

1階平面図

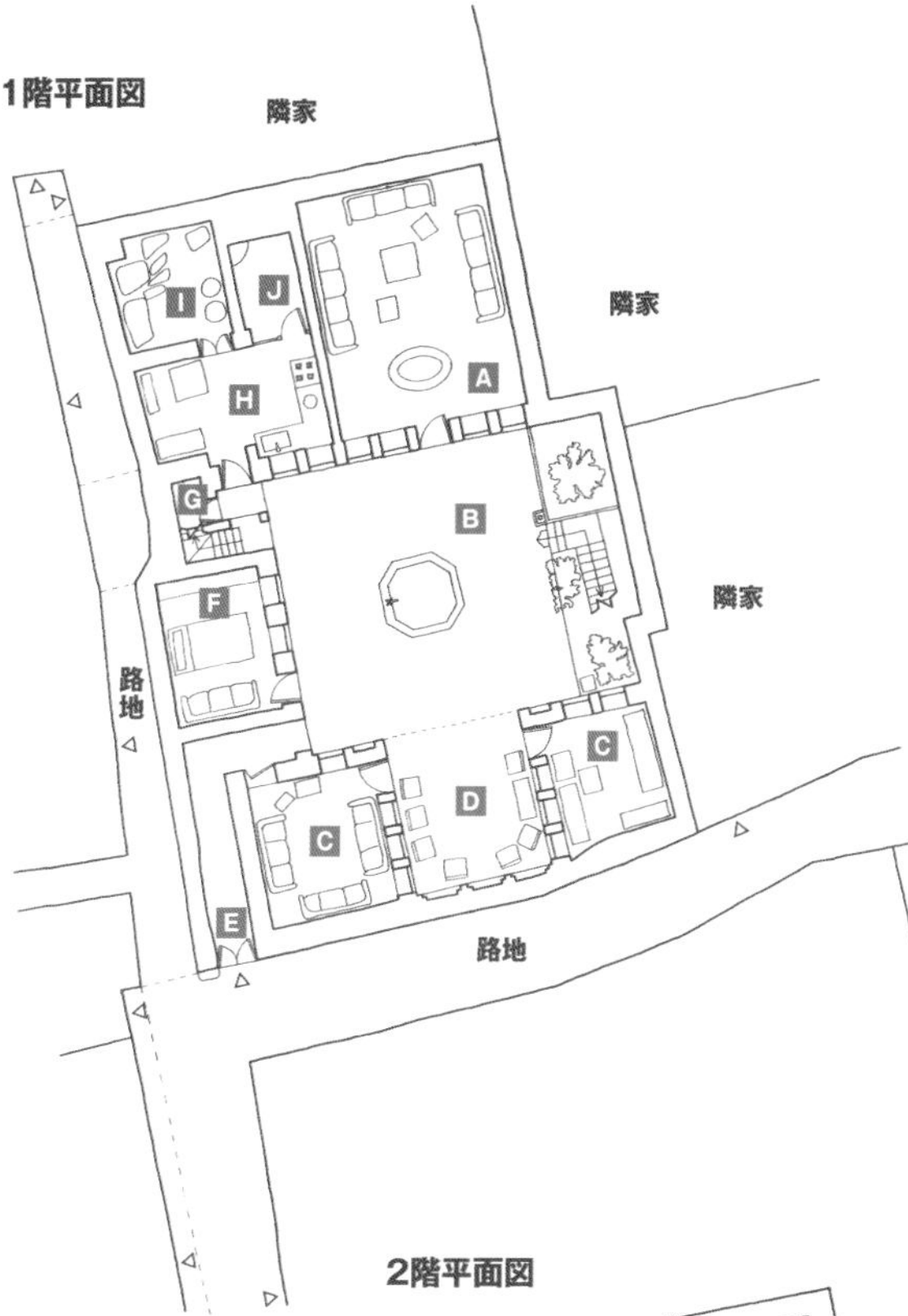

※立面図はこの面を切り取ったもの

- A 冬の居間
- B 中庭
- C 夏の居間
- D イーワーン
- E 入り口
- F 居室
- G トイレ
- H キッチン
- I パントリー
- J シャワールーム
- K 吹き抜け
- L テラス
- M 物置

2階平面図

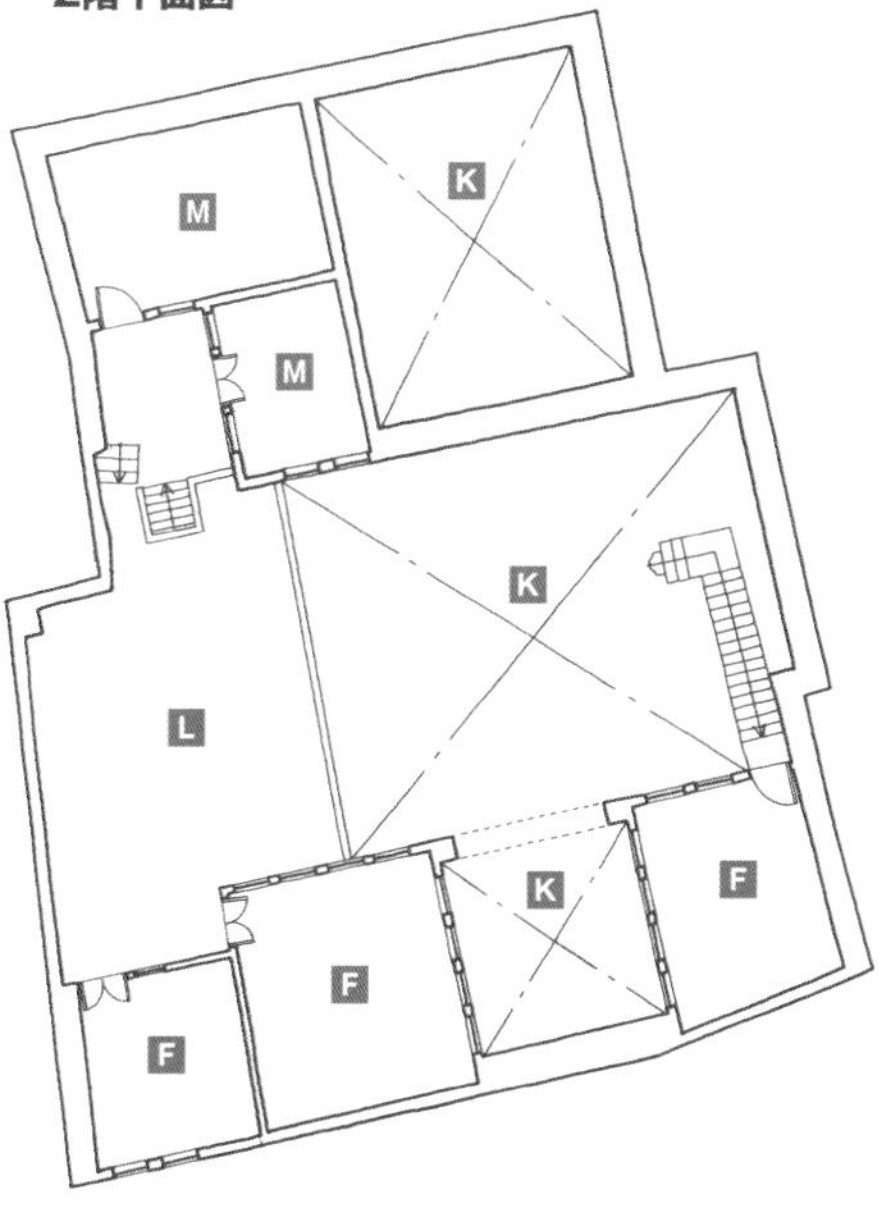

図版提供：新井勇治（愛知産業大学）

が生み出した住宅は、いまなお人々を惹きつけている。

（山田泰巨）

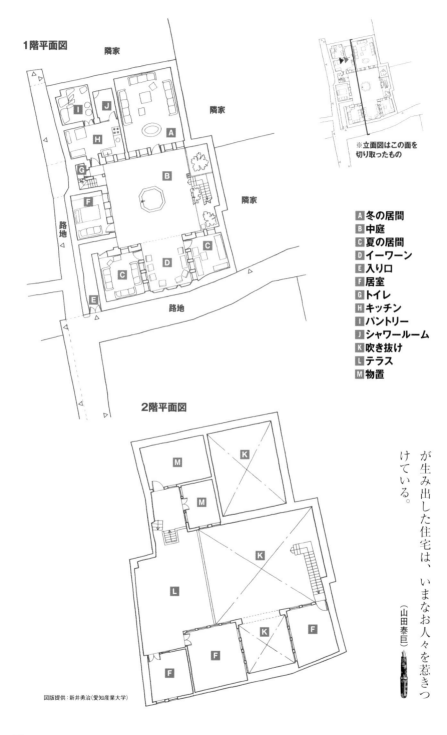

自然と悠久の時がつくり出した、絶景に驚く。

ファラフラ
エジプト

エジプト南西部に位置するファラフラの白い砂漠には、自然の力でできたアートのような造形が点在する。この砂漠が白い理由は、かつて海の底にあったからだ。積もった珊瑚などの死骸が固まってできた石灰岩が風雨にさらされ、数千年かけてゆっくりと写真のような特徴的な形をした岩になっていった。高さは10m以上に達するものもあり、鳥や花など、見る角度によってさまざまな形に見えるから面白い。

ソコトラ島

イエメン

イエメンから南に300km離れた洋上に浮かぶソコトラ島。「インド洋のガラパゴス」と称され、独自の生態系が育まれた。動植物の300種以上ある固有種のなかで、この島のシンボルと言われる木が常緑高木の竜血樹だ。樹齢200年以上の竜血樹からのみ採れる赤い樹脂「竜血」は、古代ローマ時代から貴重品として取引されてきた。年輪がない単子葉植物のため推定ではあるが、樹齢が1000年以上におよぶものもあるという。

photo：©Obie Oberholzer/laif/amanaimages

バータラ峡谷の滝

レバノン

レバノンの山岳地帯にある「バータラ峡谷の滝」は、雪解けの時期にだけ見られる幻想的な奇勝だ。高さ255mの岩壁を雪解け水が流れ落ちる様子を見ようと、毎年多くの観光客が訪れる。まるで人為的につくられたかのようにも見える3つの岩の橋は、ジュラ紀の石灰岩が自然の力で削られたものだ。その橋や洞窟の入り口、地下などいくつかのポイントから滝を眺めることができる。

photo：©Reuters/AFLO

マダイン・サーレハ

サウジアラビア

「マダイン・サーレハ」はサウジアラビア北西部に位置し、同国で初めて世界遺産に登録された古代都市。紀元前1世紀頃に交易で栄えたナバテア人が暮らし、ヘレニズム文化の影響がみられる装飾を施した墓石群を多く建造した。現地では呪われた地とされていることから、整備されることなく手付かずの状態で維持されている。

photo : ©C.O.T/a.collection/amanaimages

サヌア旧市街

イエメン

アラビア半島の南に位置するイエメンの首都サヌアの旧市街は、1986年に世界遺産に登録された。城壁に囲まれた市街地には約6500棟のレンガ造りの高層住宅が立ち並び、なかには1000年以上前に建てられた現役の住居もある。ここで暮らす男性は頭にターバンを巻き腰には伝統的なジャンビーヤナイフを帯刀するなど、中世アラブの風景が色濃く残っている。

photo : ©Jun Matsuo/AFLO

ペトラ

ヨルダン

紀元前1世紀頃、ナバテア人によって繁栄した地。岩壁に彫り込まれた装飾的な墳墓や円形劇場、凱旋門などの遺跡が残る。写真は「エド・ディル」と呼ばれる高さ約45mの神殿で、ペトラ遺跡のなかでも最大の建造物だ。周辺の発掘作業は約100年前から続いており、いまだ約7割の遺跡が地中に埋まっている状態だと推測されている。

photo：©SIME/AFLO

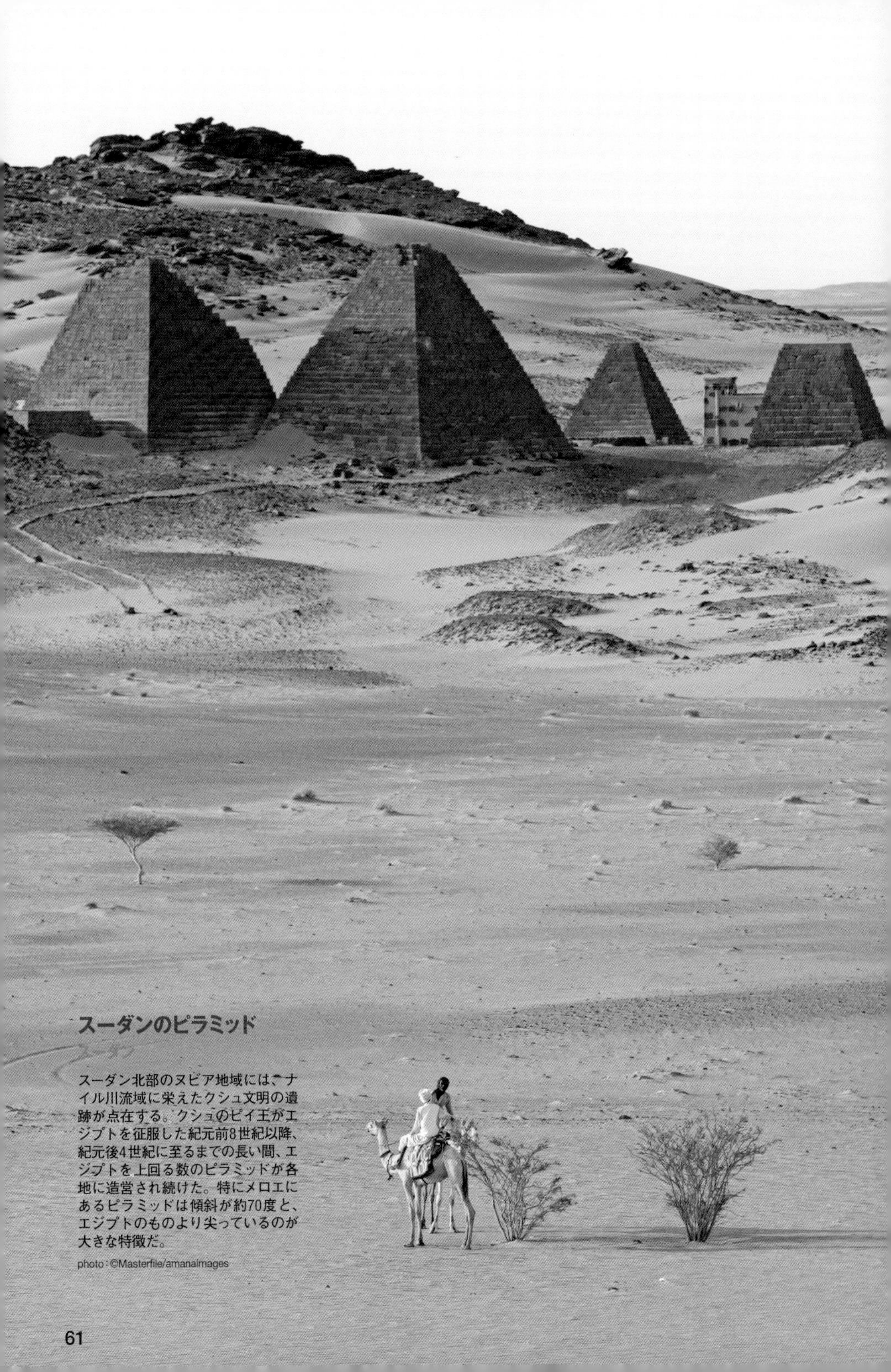

スーダンのピラミッド

スーダン

スーダン北部のヌビア地域には、ナイル川流域に栄えたクシュ文明の遺跡が点在する。クシュのピイ王がエジプトを征服した紀元前8世紀以降、紀元後4世紀に至るまでの長い間、エジプトを上回る数のピラミッドが各地に造営され続けた。特にメロエにあるピラミッドは傾斜が約70度と、エジプトのものより尖っているのが大きな特徴だ。

photo : ©Masterfile/amanaimages

中東の都市を大胆に彩る、驚きの現代建築。

キングダムセンター

リヤド（サウジアラビア）

2002年竣工

高さ302mと、サウジアラビアの首都リヤドでは、最も高いビルとして屹立。高層部のふたつに分かれた特徴的な形状の先端を、長さ65mのスカイブリッジがつなぐ。ここからはリヤドの夜景が一望できるため、観光スポットとしても人気だ。その他、内部にはオフィス、世界のハイブランドが集まるショッピングモール、フォーシーズンズホテル、レストランなどが入る。

photo：© Shutterstock/AFLO

カヤンタワー

ドバイ（アラブ首長国連邦）
2013年竣工

1階から最上階にかけて、ちょうど90度の角度でねじれた形状が大きな話題を呼んだ「カヤンタワー」。総戸数495戸を有する超高層マンションで、内部には住居の他、居住者のためのスパ、ジム、テニスコートなどを完備している。コンクリートの柱やメタルパネルを有効に使いながら、砂漠地帯の強い日差しが直接室内に差し込まないように工夫している。高さ307m、地上75階建て。

photo : © Sipa USA/amanaimages

ブルジュ・ハリファ

ドバイ（アラブ首長国連邦）
2010年竣工

206階建て、828mと圧巻の高さを誇る世界一高い超高層ビル。地階から8階、および38、39階がアルマーニホテル。他に住居とオフィスも入居し、全体で最高3.5万人が常駐できる。中東最大のデベロッパー、エマール・プロパティーズが開発を続けるダウンタウンの中央に位置し、進化し続けるドバイを代表するシンボリックな建造物だ。上空から見ると、Y字型に広がる特徴的な形状。

photo : ©YuziS/Alamy/amanaimages

クウェートタワー

クウェート(クウェート)　1979年竣工

クウェート湾を一望するエリアに立つタワーは、3つの尖塔で構成されている。いちばん高い塔にあるふたつの球体の上方は展望台、下方にはレストランが入る。ふたつ目の塔は4500㎡の貯水量を誇る給水塔、3つ目の塔は市内への電力供給の役割を果たす。1990年〜91年にかけて、湾岸戦争の際にイラク軍の攻撃によって大きなダメージを受けたが、その後修復され、もとの姿を取り戻した。

photo：© Photoshot/amanaimages

イヴ・サンローラン美術館

マラケシュ（モロッコ）　2017年竣工

ファッション・デザイナー、イヴ・サンローランによる服やアクセサリーなど、2万点以上の作品を所蔵する美術館が2017年10月にオープン。マラケシュはサンローランのインスピレーション源であり、別宅を構えるなど慣れ親しんだ土地でもあった。館の設計はパリのデザインユニット、スタジオ コーが手がけた。テラコッタのレンガを積み上げ、曲線と直線のコントラストを強調している。

photo : © Fondation Jardin Majorelle / Photo Nicolas Mathéus

ブルジュ・アル・アラブ

ドバイ(アラブ首長国連邦)

1999年竣工

ペルシャ湾の海上につくられた人工島に立つ地上70階の建物は、「7つ星ホテル」の異名も取る最高級ホテル。特徴的なビルの形は、古代のアラビア海を航行していた木造船「ダウ」の帆をイメージしたものだ。205室ある客室はすべて2層構造のメゾネットタイプになっており、部屋からの眺望には定評がある。地上210mに位置するヘリポートからも、チェックインやチェックアウトができる。

photo : © Roberthardinq/AFLO

シェイクザイード・モスク

アブダビ(アラブ首長国連邦)

2007年竣工

伝統的なイスラムの建築様式を踏襲した巨大モスクは、最大で4万人を収容。白亜の大理石でできた建屋が、神聖な雰囲気を醸し出す。3つの巨大礼拝堂の前に広がる中庭の四隅にミナレット(塔)を配置。内部は贅を尽くしたつくりになっており、アーチが幾重にも連なる礼拝室にはスワロフスキーのシャンデリアが天井から下がり、足元には巨大なペルシャ絨毯が敷かれている。

異国の磁器や金属器を手本に、進化した陶器。

緑釉双魚文皿

14〜15世紀　制作地エジプト　陶器　21×4.5cm
東京　中近東文化センター

中国浙江省・龍泉窯の青磁を模倣した緑釉の皿。青磁を代表する文様の双魚文も中央に模して配される。中国の名品とは異なり味わいある形。透明感のある青緑色ではなくくすみのある深緑色が特徴。

photo：© 中近東文化センター

アラブ世界では、各王朝や各地域でさまざまな工芸が花開いた。日用品を含む工芸品は、生き物の表現が忌避された宗教施設では見られない人物や動物が自由に表情豊かに表され、魅力あふれる品が数多く存在する。なかでも焼き物においては、他の地域の影響を受けながら試行錯誤が繰り返され、独自の技法が生み出されていった。

中国で発展した磁器は、アラブ地域にも輸入され珍重された。その澄んだ美しい色合いや、薄く硬い質感に感銘を受けたアラブの陶工たちは、中国磁器を真似ようと工夫を凝らした。磁器用の特別な粘土が採れないため、既存の粘土に不透明の白釉《はくゆう》を厚くかけたり、白い化粧土をかけた上にさらに透明釉をかけたりするなどして、中国の焼き物に近づこうと

黄緑釉型押文皿

9世紀　制作地イラク　陶器　17.6×2.4cm
東京　中近東文化センター

型押しで内面に浮彫風の文様を施し、金属器の形と文様を模した平底の皿。組紐文で区分けした見込みには6つの植物文様を配し、口縁には三つ葉状の文様を巡らせる。緑釉の着彩がデザインにメリハリを付けた。

photo：© 中近東文化センター

白釉藍彩文字文鉢

9世紀　制作地イラク
陶器　21.2×6.3cm
東京　中近東文化センター

中国磁器の器形を厚い粘土で模倣し、全体に白釉を施した鉢の見込みに、コバルトの藍色顔料で3行のアラビア文字と、それらを囲むように4つのパルメットを描く。中国磁器の白さ、優美さへの憧れから生まれた器。

photo：© 中近東文化センター

した。12世紀頃には、ガラスの原料となる石英と粘土、釉薬の粉を混ぜた人工胎土《たいど》が開発され、比較的薄くて白い陶器がアラブ地域全般でつくられるようになる。14世紀に入ると、中国・景徳鎮窯《けいとくちんよう》の染付や龍泉窯《りゅうせんよう》の青磁が輸入され、その器形やモチーフを真似た白釉藍彩《はくゆうらんさい》陶器や緑釉《りょくゆう》・青釉《せいゆう》をかけて青磁を模した陶器も制作された。このように、中国の焼き物への強い憧れと、再現へのあくなき挑戦が、アラブの陶磁器を飛躍的に発展させたのである。

一方、独自に開発された陶器技法に、ラスター彩《さい》がある。ラスターとは英語で「輝き」を意味し、表面の彩描部分が金・銀・銅色に輝くこの技法は、もとはガラス装飾のために開発されたという。キリスト教とは違い、イスラム教のモスクでは豪奢な貴金属の調度品は必要とされなかったが、日常で使用する器にも金銀の輝きを求めた人々によってラスター彩陶器は発展し、日用品を装飾芸術の域にまで高めた。

ラスター彩鉢

11世紀頃　制作地エジプト　陶器
カイロ　イスラーム美術館

鷲の頭部と翼、ライオンの胴体と足をもつ空想上の怪物「グリフィン」が描かれた浅鉢。「グリフィン」は、ヨーロッパではイタリア、ピサの大聖堂の上に設置された「ピサのグリフィン」が有名だが、同作にもアラビア語銘文が線刻文で施されていることからもわかる通り、アラブ圏の美術・工芸品ではしばしば用いられる図像である。

photo：©Sandro Vannini/Bridgeman/amanaimages

金属的な光沢は、一度焼いて釉薬を定着させてから、銀や銅などの酸化金属を含んだ顔料で描き、窯の中の酸素量を減らして時間をかけて焼くという、高度な技術と複雑な工程を経て生まれる。この技法はアラブ全域ではなく、限定された地域でのみ用いられた。最初につくられたのは9世紀のイラクで、11世紀には生産の中心はファーティマ朝のエジプトに移り、12世紀後半のファーティマ朝滅亡とともにエジプトでの生産が終了。ほどなくして、ラッカ（現シリア）とカーシャーン（現イラン）の2都市と、イベリア半島で突然制作が始まり、シリアとイランで1世紀ほど続いた後、忽然と途絶えた。

　ラスター彩陶器は一見しただけでは製法がわからず、出現する時代と地域が限定されていることから、技術をもつ工人がアラビア語圏を移住することで技法が伝播したと考えられている。

　突然消えた謎多きラスター彩をはじめ、多彩な技法が用いられたアラブの陶器。この小さな日用品に、東西交易の要所として発展してきたこの地の文化の軌跡が垣間見える。

（景山由美子）

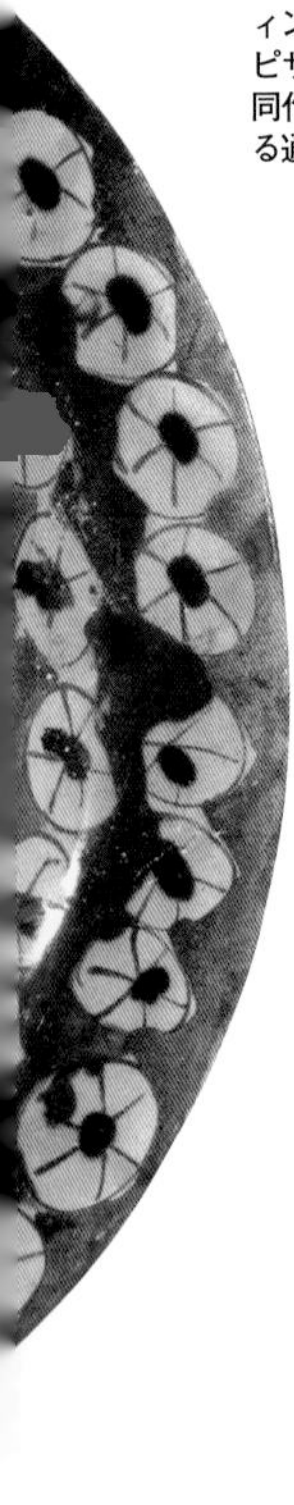

ラスター彩皿

11世紀頃
制作地エジプト　陶器
カイロ　イスラーム美術館

ファーティマ朝時代に制作されたものとされる白釉のラスター彩皿。両手に杯を持ち坐している女性が描かれている。

photo：©Werner Forman Archive/Bridgeman/amanaimages

多色ラスター彩 丸繋文皿

9世紀　制作地イラク
陶器　29.9×2.8cm
東京　中近東文化センター

初期のラスター彩陶器は、色調の異なる輝きをひとつの皿に表現するのが特徴。銀や銅などの金属成分の多寡によって発色の差が生じ、陶器に表情が生まれる。3色の金属色を背景に、小花のような円文が同心円状に6重に配された個性的な装飾。

photo：© 中近東文化センター

金属やガラスなど、多彩な工芸の魅力を解説。

アジア、ヨーロッパ、アフリカ間の交通要所に位置し、文化、物品、人が行き交ったアラブ地域。東西交易の要であり、68～71ページで紹介した陶器の他にも、多彩な工芸品がつくられ各地に広まった。金属やガラス、象牙、テキスタイルなどさまざまな素材が集まり技法が洗練され、たぐいまれなる美しさで世界中を魅了した。

インドからエジプトまでのイスラム地域でしか見られない技法として、まず金属に施される象嵌《ぞうがん》が特筆される。アラブでは金・銀・青銅・真鍮・鋼などの金属器がつくられたが、金・銀製品は溶解して再利用することが多いため、残念ながら現存する品は少ない。しかし、エジプトのマムルーク朝時代につくられた「聖王ルイの洗礼盤」の象嵌細工は、人物や動物の姿を細密に、物語性をもって表現しており、当時のアラブ工芸の完成度の高さと自由な精神性が見て取れる。12世紀頃にアフガニスタンで始まり、イラク、エジプトと広がった象嵌技法は、地金の部分に模様や図様を刻み込み、そこに金・銀などの小さな細片をはめ込む緻密かつ高度な技法で、異なる金属の象嵌を可能にし多彩な色彩や質感が生まれた。

絵を描くような装飾もできた、ガラスのエナメル彩。

また、ローマガラスやペルシャガラスの伝統を受け継いだアラブ地域では、ガラス器の生産も盛んだ。

モスクで使うランプや杯、水差しなど、用

金属

ブラカスの水差し

シュジャーウ・イブン・アル＝マンア・アル＝マウシリー作
1232年　ザンギー朝
制作地イラク
真鍮、銀銅象嵌　高さ30.4cm
ロンドン　大英博物館

水差しは飲料水を供する他、手洗いの際に手に水をかけるなどにも使われた。打ち出した真鍮の板から形成、全面に象嵌を施すこの水差しには狩りや戦い、演奏の場面が描かれ、兵士や女性、動物が登場する。

photo : © The Trustees of the British Museum/amanaimages

聖王ルイの洗礼盤

ムハンマド・イブン・アル＝ザイン作
1300年頃　マムルーク朝
制作地エジプト　真鍮、金銀象嵌
50.2×22.2cm
パリ　ルーヴル美術館

内側と外側の全面を金銀の象嵌が埋め尽くす真鍮水盤。軍人の肖像や動物の正確な細部描写は圧巻で、表情の一つひとつに叙情的な物語を感じる。エジプトで制作され、18世紀までにヨーロッパにもたらされていたという。

photo : ©Hughes Dubois/Musée du Louvre, Dist. RMN-Grand Palais/amanaimages

途もサイズもさまざま。技法も多様で、異なる色彩のガラスを練り込んで縞模様をつくったり、型や器具で凹凸模様をつけたりする伝統的技法の他、金属成分をもつ顔料で着彩するステイン装飾、色ガラス粉でつくった多色の顔料で彩画するエナメル彩などの開発により、輝きに包まれた絵画のようなガラス器が誕生した。

遊牧民や都市生活者の室内外の調度品として、また毎日の礼拝時の敷物としてアラブで広く利用される絨毯にも、色彩豊かな幾何学文や植物文の組み合わせが華麗で、芸術品と言える優品がある。外交の贈物やヨーロッパ王室からの注文によって、早くから外国に輸出された。

アラブの工芸品には、工人や工房の名が記されることが少なくないという。

「たとえば、モスクランプにコーランの光章からの引用文を記したり、複雑な幾何学文様を描いたりするには、教養や数学的知識が求められます。職人たちは、その仕事に誇りをもって署名したのではないでしょうか」と、東京大学東洋文化研究所の桝屋友子教授は解説する。

なかにはその銘文から、親子が制作したことがわかる作品もある。親から子へ、親方から弟子へと受け継がれた、職人の誇りと高度な技とが、これらの豊かな表現を生んだのだ。

（景山由美子）

photo : © Hughes Dubois/Musée du Louvre, Dist. RMN-Grand Palais/amanaimages

「聖王ルイの洗礼盤」の側面。モンゴル人らしい顔つきの兵士が後ろを向いたり、思案顔で腕組みしながら進行する場面が描かれる。ガゼルを追う豹や、兎や羊などの動物も表情豊かだ。黄色い部分は象嵌の剥離した箇所。

ガラス

エナメル彩瓶

13世紀　制作地エジプト
ガラス、金　高さ43.5㎝
ニューヨーク　メトロポリタン美術館

ガラス器としてはかなり器高が高いエナメル彩と金彩のガラス瓶。細長い頸部には中国由来の鳳凰のモチーフが描かれ、東西交流の様相を感じさせる。胴部には騎馬で戦うマムルーク朝の戦士たちを描かれる。

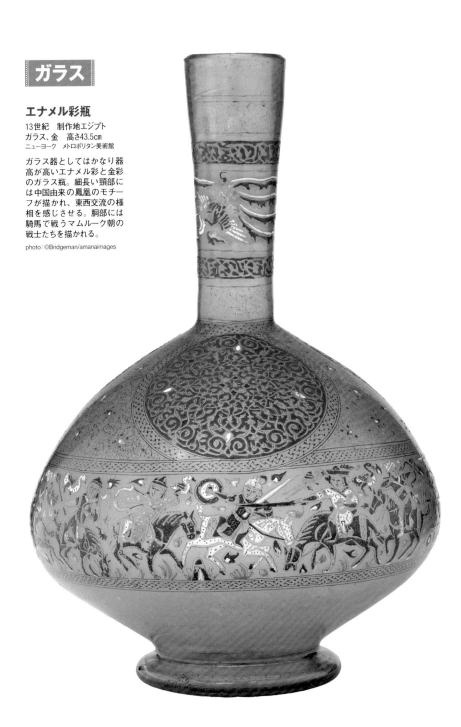

エナメル彩瓶

13世紀　制作地シリア
ガラス、金　21.3×23cm
ロンドン　大英博物館

赤や青などの色で着彩するエナメル彩と金彩によって全面が豪華に彩られたガラス瓶。アラベスクや紋章、馬に乗る兵士や、宴会する人物などが優雅に描かれる。

photo：© The Trustees of the British Museum/amanaimages

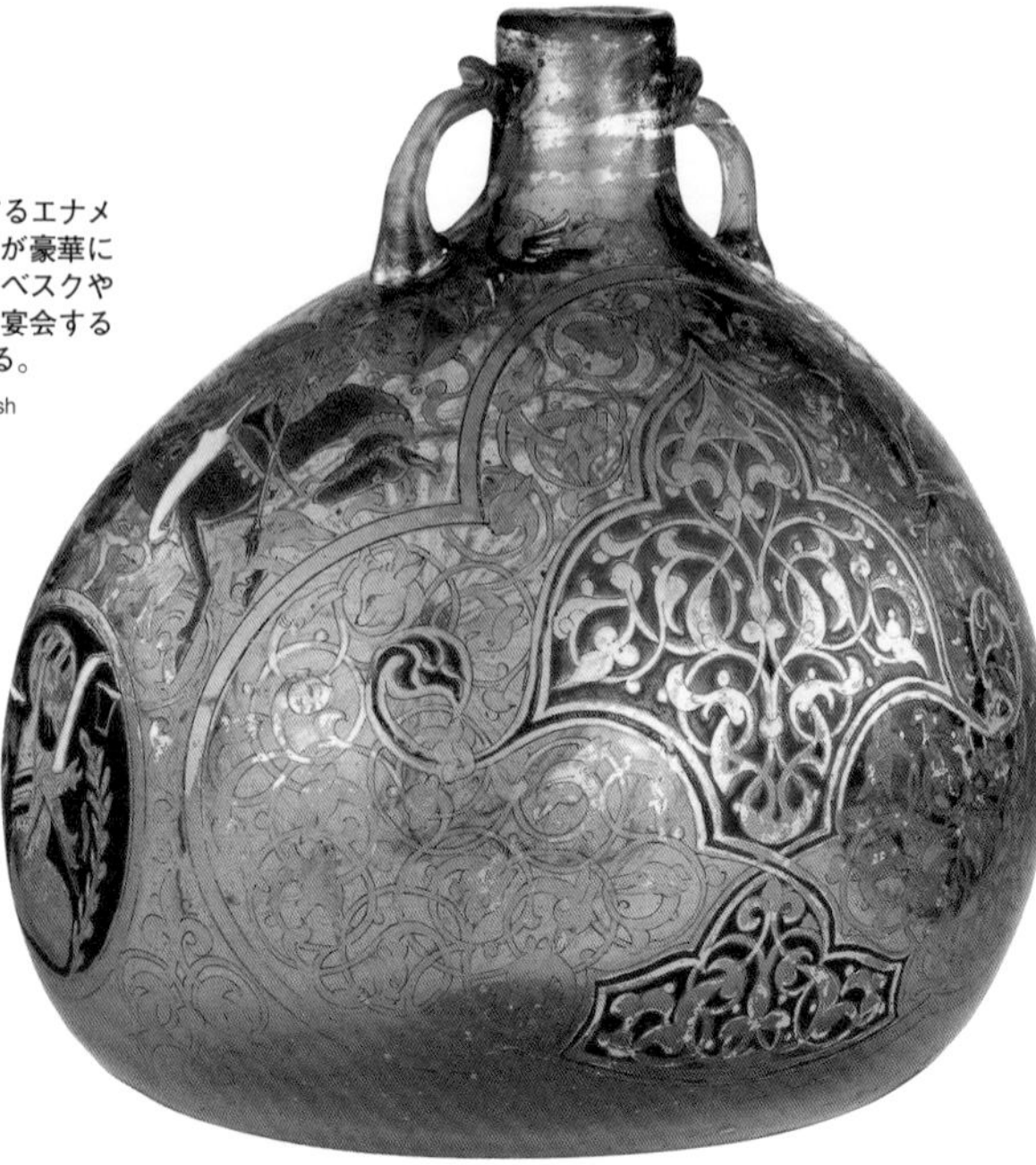

エナメル彩モスク・ランプ

14世紀　制作地シリアもしくはエジプト　高さ35.3cm
ケンブリッジ　フィッツウィリアム美術館

マムルーク朝の時代に作られたモスクのランプ。正確な点灯方法は不明だが、把手に鎖を通し、天井から吊り下げたと考えられる。青地の抑えられた色調だが、点灯した際にはエナメルによって覆われていない胴部の文字と植物文が輝き浮かび上がったであろうことが想像される。

photo：© Fitzwilliam Museum, University of Cambridge, UK/Bridgeman/amanaimages

テキスタイル

シモネッティの絨毯

15世紀　マムルーク朝
制作地エジプト
ウール　896.6×238.8cm
ニューヨーク　メトロポリタン美術館

旧所有者の名をとり「シモネッティの絨毯」と呼ばれる、マムルーク朝を代表するパイル絨毯。正方形、八角形などの幾何学文と多弁形、草花文が複雑に組み合わさった、万華鏡を思わせる豪華な逸品だ。

photo : © The Metropolitan Museum of Art.
Image source : Art Resource, NY/amanaimages

象牙

ムギーラの小箱

968年　後ウマイヤ朝
制作地スペイン
象牙、金属　8×15cm
パリ　ルーヴル美術館

象牙の形を活かし全面に精緻な浮彫を施した小箱。人物や動物が4つの8弁形メダイヨンの中に生き生きと表される。シリアからスペインに落ちのびたウマイヤ朝カリフの子孫である、ムギーラ王子のために制作されたもの。

photo : ©Hervé Lewandowski/
RMN-Grand Palais (Musée du Louvre) /AMF/amanaimages

水晶

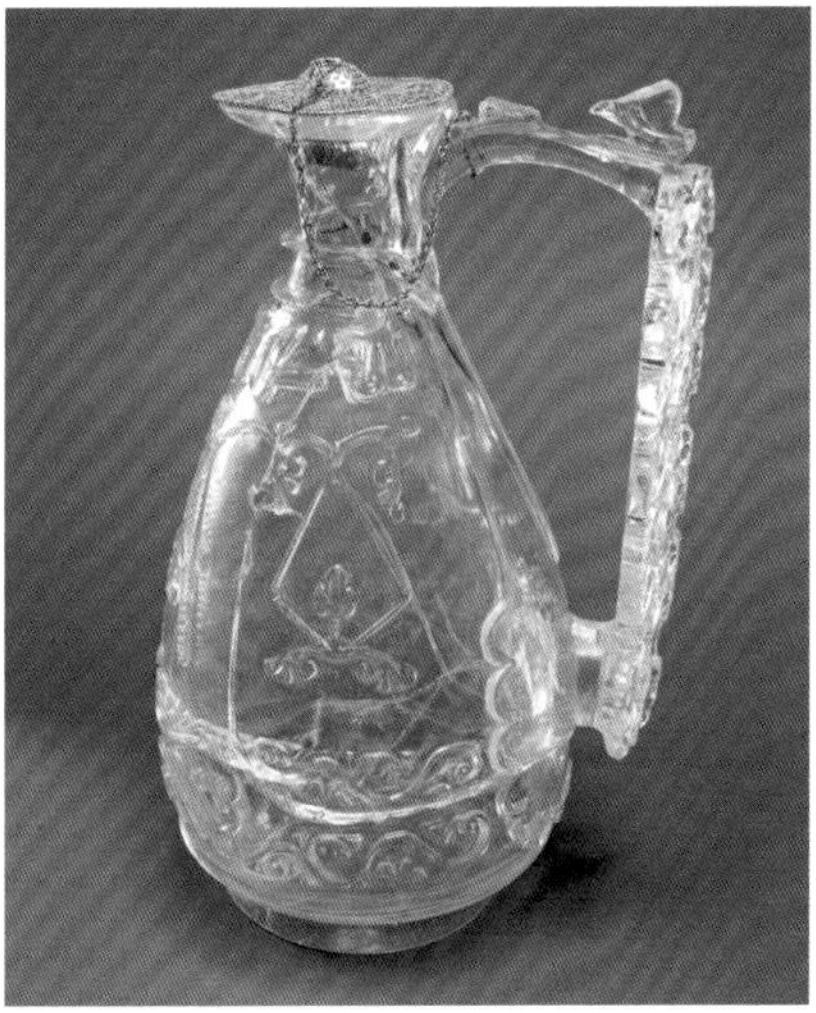

向かい合う鳥の水差し

11世紀　ファーティマ朝　制作地エジプト　水晶
13.5×24cm　パリ　ルーヴル美術館

透明度の高い、一塊の水晶から彫り出された水差し。梨形の胴部に浅浮彫で生命の木を中心に左右対称に2羽の鳥や植物文様を配す。12世紀までにはフランスの修道院に伝わり、聖遺物容器として金蓋が施された。

photo : ©Peter Willi/RMN-Grand Palais (Musée du Louvre) /
AMF/amanaimages

中東における美の殿堂、ルーヴル・アブダビ

海水が目にも涼やかな、文字通り海上に立つ美術館。四角い建物が大小計55棟並び、天井から漏れる太陽の光を、真っ白な壁で受ける。水辺の階段に腰掛けて涼む来館者も多い。

年に2日しか雨が降らないというアラビア半島東部のサディヤット島。アブダビの繁華街からシェイク・カリファ橋を渡ったところにあるこの地は、あちこちで工事が行われてきた島だ。その名を有名にしたのは、フランク・ゲーリーやノーマン・フォスターらプリツカー賞を受賞した5人の建築家を招聘したカルチャー地区計画の発表だった。それから10年。全体的に工事は遅れたが、２０１７年11月に、ルーヴル・アブダビは開館した。フランスのルーヴル美術館の協力を得て、独自の理念を掲げ、フランスの13の国立美術館が作品を貸与する美術館。建築を手がけたのは、ジャン・ヌーヴェルだ。

海岸から海に張り出すように立つ真っ白な外壁の建物は、ライトグレーのドームをいた

※本書掲載のルーヴル・アブダビの展示作品については、2018年2月のものです。現在は展示・所蔵していない作品も含みます。

館内の広場ともいうべき「プラザ」。中央には、ルーヴル・アブダビが発注したジュゼッペ・ペノーネの4連作『芽生え』のうち『光の葉―樹木』がそびえ、天井の網目に溶け込むよう。美術館のシンボルだ。

ドームの直径は180m。それぞれにモチーフの違う8つの層が重なっている。ドームの下に海水を招き入れ、外洋に向かって張り出した部分にはソラリウム(日光浴室)やテラスのあるレストランがある。

だいている。海から見ると、その姿は防波堤に守られた小さな村のようにも見え、陸から眺めれば海辺のモスクのようにも見える。足を踏み入れれば、11月でも30度という外気を忘れさせる、涼やかな空間があった。高い天井を覆う、網のようなメタル構造の屋根からこぼれ落ちる自然の光は、〝光の雨〟のようだ。真っ白な壁に光の粒を投げかけ、時の移ろいとともにその影絵を変化させていく。海から天井に抜ける風は、オアシスのような自然の涼感をもたらす。日傘をかぶせたような空間は、日がな一日、海辺に佇んで時の流れを感じたくなる。

ヌーヴェルのコンセプトは「ミュージアム・タウン」。着想源はアラブ諸国にある旧市街だ。美術館の55棟の真っ白な四角い建築物は町を構成する家。そのうち23棟が展示空間である。直径180mのドーム屋根がこれらを覆い、苛烈な日差しから守る。幾何学的な構造をもつ8層の屋根は太陽光を通しつつ光を

上:真っ白な壁にはめ込まれた、ジュゼッペ・ペノーネの4連作『芽生え』のうちの1作。下:序章となる展示室。水、祈り、騎馬、などのテーマごとに大小のガラスケースが設置され、時代も文明も異なるものを並べて展示。地域や時代を超えた類似性に驚かされる。

和らげ、館内を光と影で演出。また、海や陸から入る空気を暖めることなく上方に送り込む。夜になれば、天井にある７８５０の網目から漏れ出る館内の光が、星のように煌めく。

美術館は常設展示室、企画展示室、子どもミュージアム、レストランやカフェ、イベントホールなどで構成されている。ランダムに並ぶ、大小のキューブ状の白い棟を結ぶ空間「プラザ」は、いわばこの町の広場。中央にはルーヴル・アブダビのオープンに向けて制作されたジュゼッペ・ペノーネの作品『光の葉―樹木』が天に向かって伸び、ジェニー・ホルツァーの巨大な作品や、オーギュスト・ロダンの『歩く人』が華を添える。

またルーヴル・アブダビはアラブ地域で初めての、世界のさまざまな地域の作品を展示する美術館としても特筆される。常設展示には先史時代から現代まで、約６００点を展示。その半数は、ルーヴル美術館をはじめオルセー美術館やギメ東洋美術館、ポンピドゥー・

センターなどのフランスから貸与された作品だが、ルーヴル・アブダビ独自の所蔵品も増え続けている。ダ・ヴィンチからゴッホ、コンスタンティン・ブランクーシやジャクソン・ポロックまで、傑作が多いことはもちろんだが、注目を集めているのは美術館の革新的な理念だ。欧米の観点に基づく美術史と距離を置き、異文化間の共通点に光を当てている。

　常設展示の始まりは、母性、死、文字、太陽、祈り、といったキーワードごとに、異なる時代、異なる文明の遺物を集めた展示。続く展示室では、時系列でさまざまな地域の文明や宗教にまつわるものを並列し、互いの影響を示している。10世紀のコーランや、仏教の曼荼羅、聖母子像が一室に並べられた「ユニバーサルな宗教」という展示室が、ルーヴル・アブダビの指針の象徴と言えるだろう。

　メソポタミア文明とエジプト文明という、四大文明のうちのふたつが誕生し、東西を結ぶ文化の交差点でもあったアラブ。人類の英知と創造力を俯瞰できる新たな美術館に、実にふさわしい場所である。

（高田昌枝）

ルーヴル・アブダビ

LOUVRE ABU DHABI

●Saadiyat Cultural District, Abu Dhabi, United Arab Emirates
☎+971・600・56・55・66
㊐10時～18時30分
※ただし入館は3時間の時間制
最終入館時間は17時30分まで
チケットは予約制
詳細はHPを要確認　㊡月
㊮一般60UAEディルハム
www.louvreabudhabi.ae

オーギュスト・ロダン『歩く人』（１９００年）。パリ万国博覧会で初めて展示された時と同様の台座に立つ。その後ろには、ジェニー・ホルツァーによる『ルーヴル・アブダビへ』。

ミイラからアイ・ウェイウェイまで、多彩な作品群。

『ヘンターウェイ王女の彩色木棺とミイラ』

前10世紀後半　第22王朝　エジプト出土　木、化粧漆喰、布

アブダビ　ルーヴル・アブダビ

「最初の村」に続く第2の展示テーマはチグリス・ユーフラテス両川、ナイル川、インダス川、そして黄河に生まれた「最初の権力」。なかでもエジプトの古代文明に関する展示は充実している。写真の美しく彩色が施された180cmの木棺とミイラはアブダビの所蔵作品だ。

photo：©Department of Culture and Tourism - Abu Dhabi / Photo Thierry Ollivier

手前右は16世紀の彫刻『ベルヴェデーレのアポロン』、壁の左はティツィアーノ・ヴェチェッリオの『鏡を見る女』。旅によって世界が広がった16世紀、イスラム世界から数学や光学の発見が西洋に伝わり、美術にも遠近感や立体感の表現が生まれたことを想起させる。

Photo: ©Marc Domage

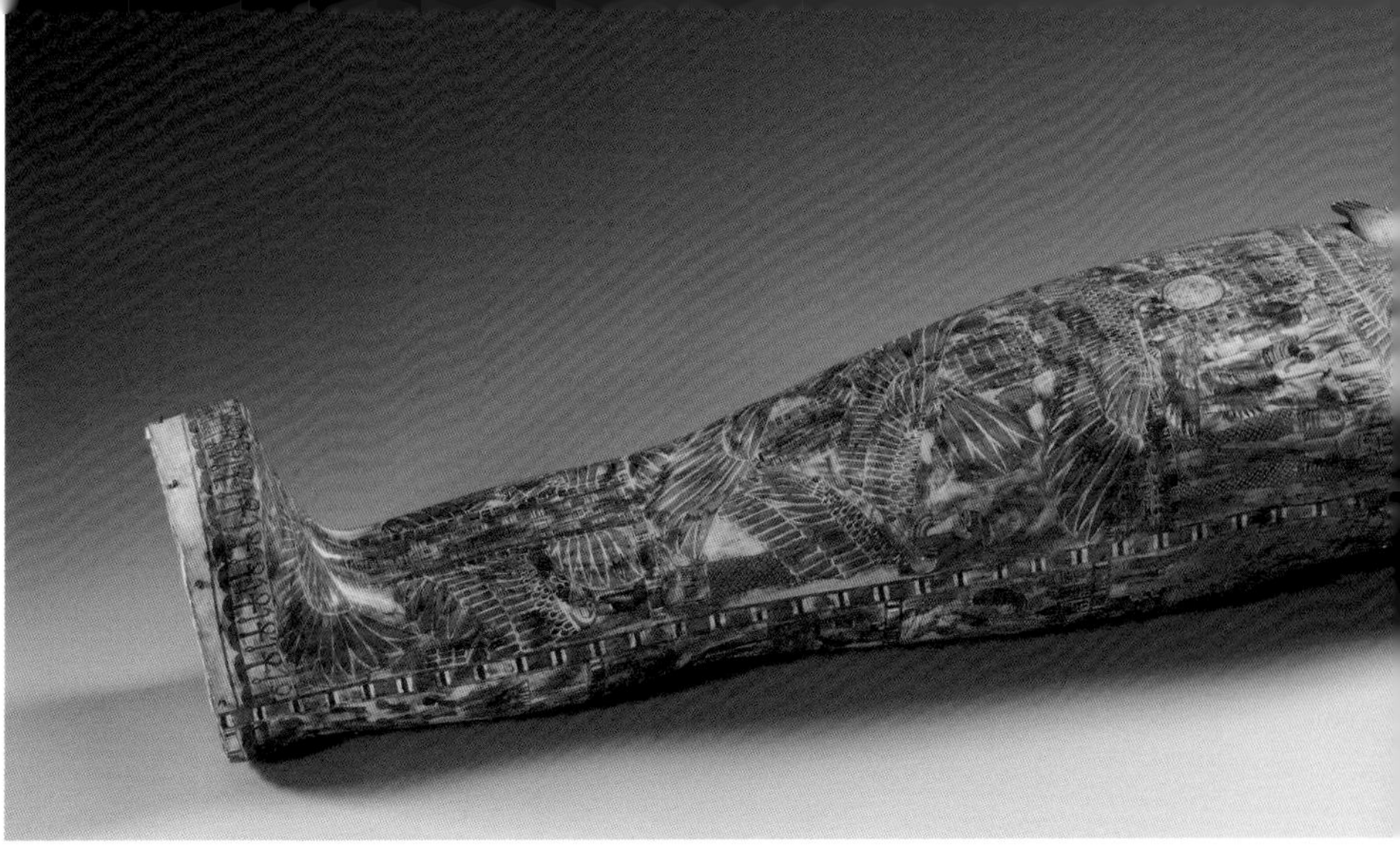

photo : © RMN-Grand Palais (musée du Louvre)/amanaimages

『**婦人の肖像（ラ・ベル・フェロニエール）**』
レオナルド・ダ・ヴィンチ画
1495年〜1499年　油彩、板　62×44㎝
パリ　ルーヴル美術館

30年間の名称貸し出しと技術協力を行うルーヴル美術館の傑作も公開。この作品はレオナルドが、15世紀末のミラノ時代に描いたとされる貴婦人像。17世紀以前からフランス王家が所有、ルーヴル美術館誕生と同時にその所蔵となった。モデルについても謎の多い作品。

『光の泉』

アイ・ウェイウェイ作　2016年　鉄、クリスタル・ガラス

アブダビ　ルーヴル・アブダビ

10点ほどの中国製シャンデリアで構成された作品は、日の目を見ることのなかった旧ソビエト連邦のユートピア的モニュメントの姿だという。その形はバベルの塔をも想起させ、現代のグローバル時代のコミュニケーションや多様性に疑問を投げかける。展示の最後を飾るエンブレム的な作品だ。

photo : ©Department of Culture and Tourism - Abu Dhabi / Photo APF

『勉強する少年エミル』

オスマン・ハムディ・ベイ画　1878年　油彩、カンヴァス　45.5×90cm
アブダビ　ルーヴル・アブダビ

トルコを代表する画家オスマン・ハムディ・ベイの作品。写真の誕生がアートの世界を変えた19世紀に焦点を当てた、「現代世界」の展示室にある。ここでは、オルセー美術館の名作に並び、歌川広重や、同時代のパプアニューギニアやコートジボワールの彫刻も並ぶ。

「ユニバーサルな宗教」をテーマにした展示室は仏像、ヒンドゥー教の像、コーランなど宗教芸術を並べて展示する、美術館の象徴的な場所。左は1500年頃、フランス・ノルマンディーの、石に彩色を施した聖母子像。右はシリア・ダマスカスの、1250〜1300年頃（マムルーク朝）のコーラン写本。

アラブの美と出合える、世界のミュージアムへ。

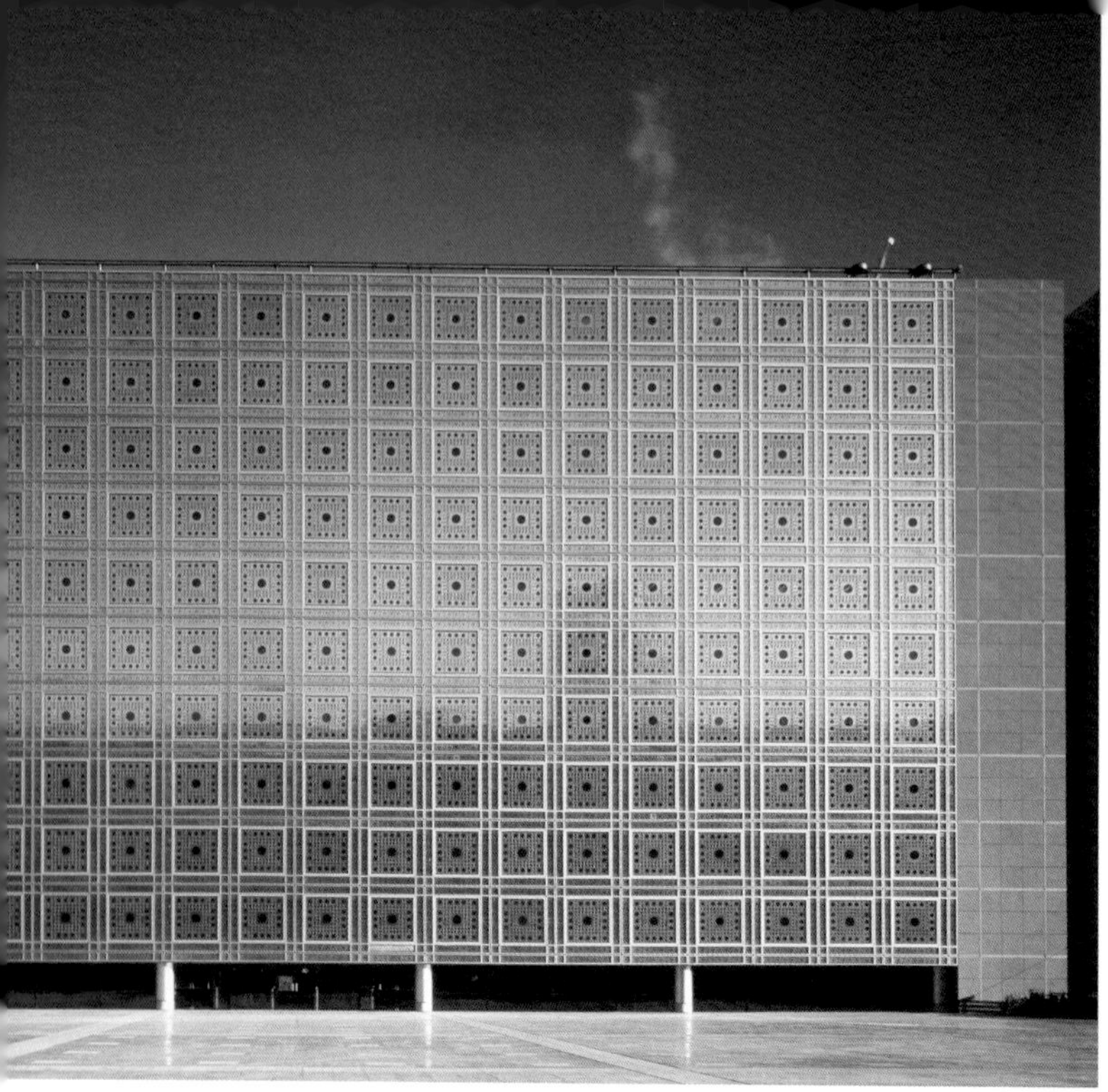

フランスを代表する建築家、ジャン・ヌーヴェルが設計したアラブ世界研究所の南側のファサード。ガラスの後ろに、金属製の240の採光を調節する装置が設置されている。昼には館内に美しい光を落とし、陽が落ちると内部の照明が外部にこぼれ出す。アラブ伝統の窓飾り「マシュラビーヤ」から着想を得たデザインを、現代建築に見事に昇華させた。

photo: © IMA – Cateloy

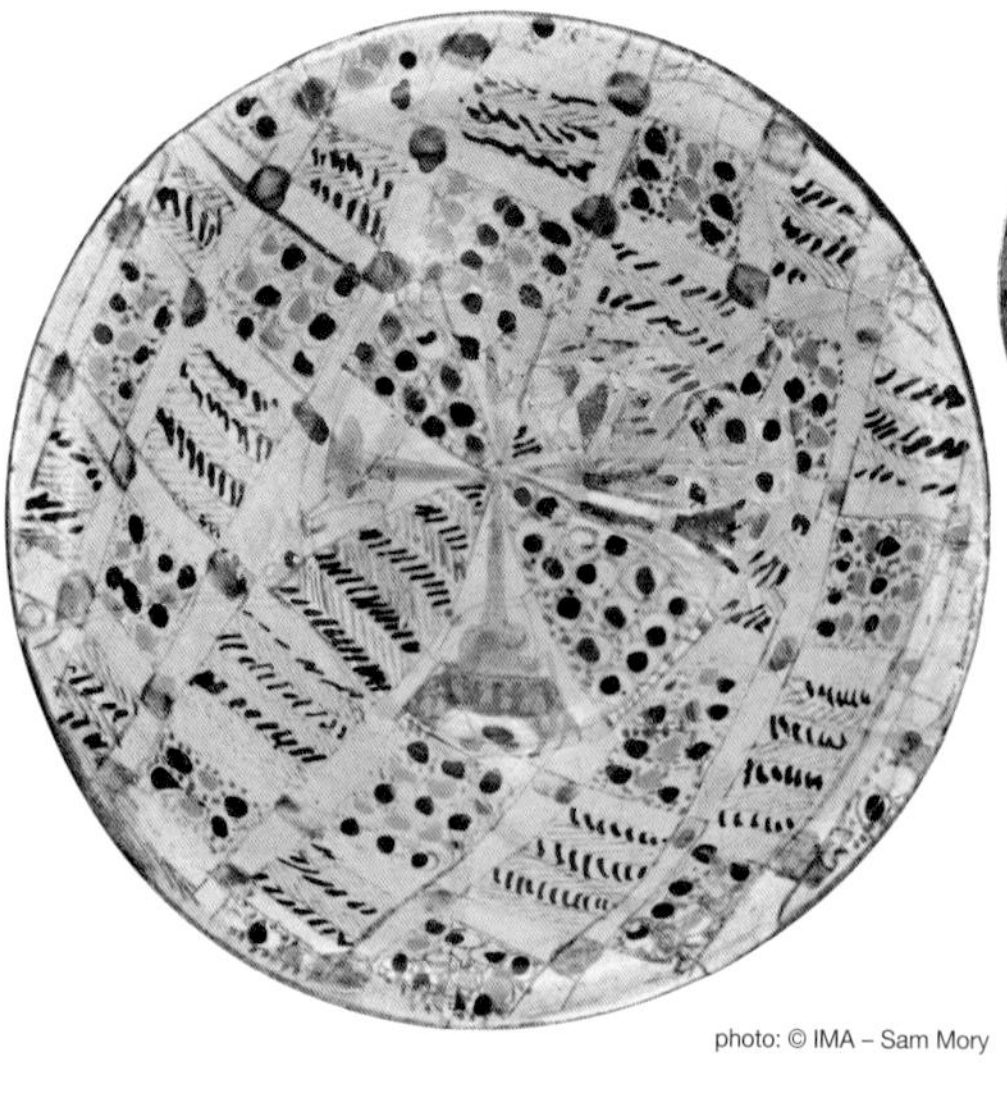

photo: © IMA – Sam Mory

上: イスラム世界の各地で発達した、平面アストロラーベと呼ばれる天体観測用の機器。10〜12世紀頃に制作されたものとされ、真鍮でできている。左: 9世紀頃にイラクでつくられたラスター彩陶器。緻密に描かれた美しい柄は、高度な技術があったことをうかがわせる。

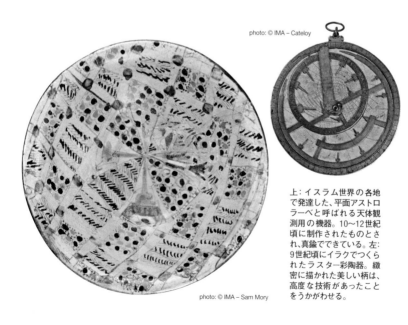

photo: © IMA – Cateloy

ここで設計された「マシュラビーヤ」は、数千の部品からなる精巧なシステム。カメラの絞り状の装置で採光を調節。

アラブ世界研究所

INSTITUT DU MONDE ARABE

●1 Rue des Fossés Saint-Bernard, 75005 Paris, France
☎+33・(0)1・40・51・38・38
㊐10時～18時（木曜、土曜は21時まで、日曜、祝日は19時まで）
※チケット販売は閉館の45分前まで
※新型コロナウイルスの流行を受けて変更あり
詳細はHPを要確認
㊡月、5/1　㊎一般8ユーロ　www.imarabe.org

photo : © IMA – Fessy

セーヌ河畔に立つ、アラブ文化の交流センター

セーヌ河畔に立つアラブ世界研究所は、「アラブのポンピドゥー」の異名をもつ。この研究所はスペインからインドにわたるイスラム文化、アラブの民俗学、近現代アートを収集・展示。10万点以上の文献を擁する専門図書館があり、討論会やセミナーも開催する。コンサートや映画上映を行う他、現代アラブ世界写真ビエンナーレの主催者も務めている。展覧会のみならず、多角的な研究活動を行うポンピドゥー・センターのように、文化が生まれ、交流する場所として、パリジャンお気に入りの文化施設なのだ。

開館は1987年。アラブ諸国との関係が深いフランスで、アラブ世界の文化に注目した無宗教の機関が強く望まれ、アラブの18カ国とフランスが1980年に研究機関の設立を決定。87年にオープンすると、建築家ジャン・ヌーヴェルによる斬新なデザインで話題になった。耳目を集めたポイントは、南面の壁に設置された240のアルミ製の特殊な装置。日差しを遮り、室内を外から見えにくくする、アラブの伝統的な窓飾り「マシュラビーヤ」に着想を得たもので、採光を自動的に調節する。歴史と現在、西洋とアラブ世界の対話をミッションとするアラブ世界研究所にふさわしい意匠として評価され、数々の建築賞を受賞していることでも有名だ。

開館30周年を迎えた2017年、この採光装置は改修され、また常設展も新しく生まれ変わった。「アラブ遺産のゆりかご」や「町」「美の表現」など、5つのテーマで構成し、アラブ文化の過去と現在を対話させてゆく。イスラム教誕生以前の時代から、近現代のアラブのアーティストの作品までを並べた展示は、時を超えて通底するアラブ文化のアイデンティティについて考えさせるものだ。

photo: ©Janet Kimber

現代的なデザインに歴史的なエレメントを組み込んだ建築。レストランや劇場だけでなく、文化施設「イスマーイール・センター」も併設。

アガ・カーン美術館

AGA KHAN MUSEUM

●77 Wynford Drive, North York, Ontario M3C 1K1, Canada ☎+1・844・859・3671 開10時〜17時30分 休月火水 料一般20カナダドル ※木金は10時〜12時まではシニアアワー(シニアの方のみ入場)あり ※新型コロナウイルスの流行を受けて変更あり 詳細はHPを要確認 www.agakhanmuseum.org

photo: © Aga Khan Museum AKM570

15世紀、シリアもしくはエジプトでつくられた陶器のタイル。中国の磁器に影響を受けた鮮やかな青と白の配色と、緻密なドーム建築の描画が魅力だ。

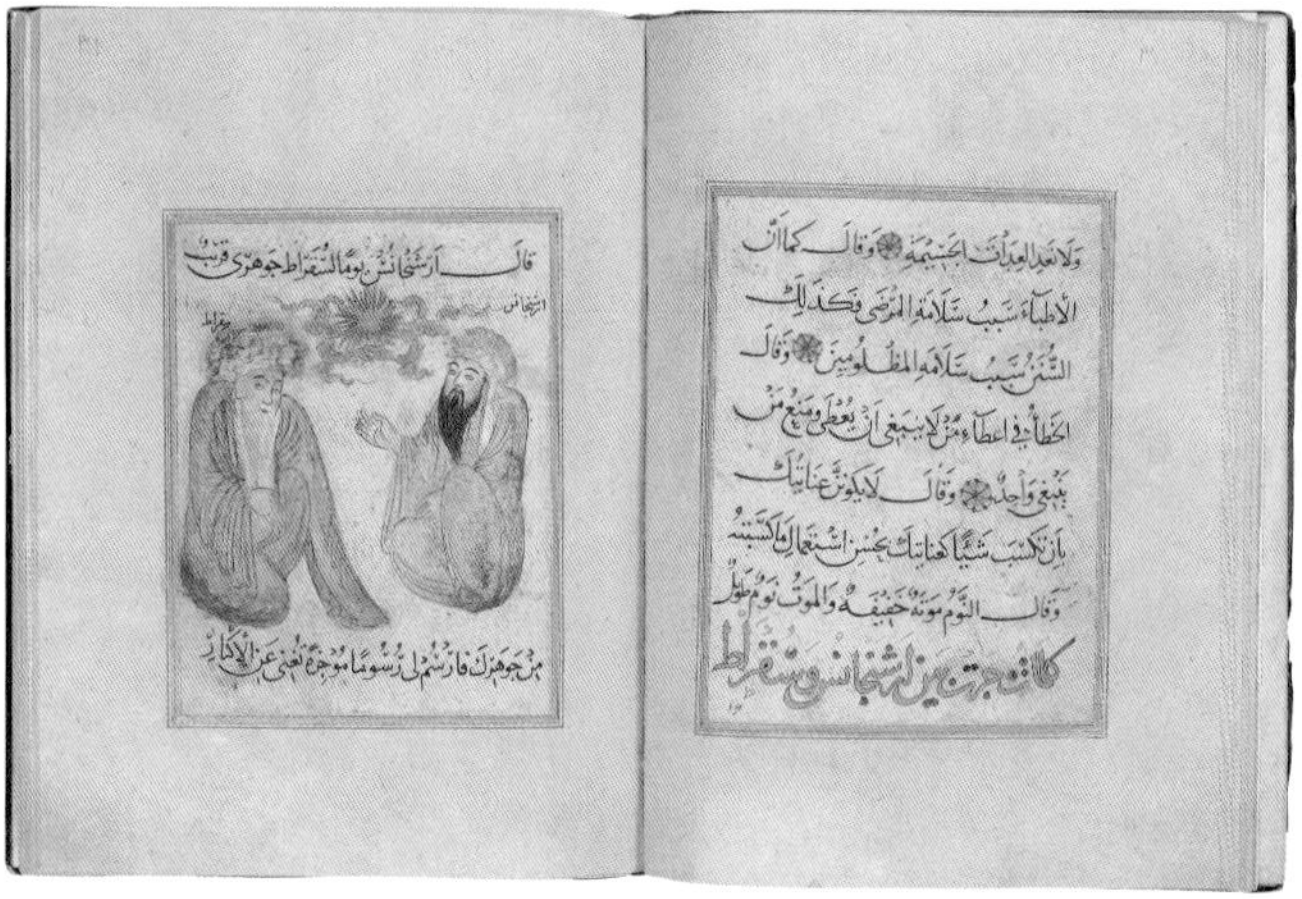

photo: © Aga Khan Museum AKM283

13世紀、イラクの写本。アラブ風の衣装を纏って描かれた、古代ギリシャの哲学者たち。ギリシャの学問は、アラブ世界で尊重され熱心に学ばれた。

世界最大級のコレクションから、イスラム美術を多角的に学ぶ。

2014年、トロントにオープンした美術館。世界最大級のイスラム美術のコレクションを誇り、常設展では1000点以上もの絵画や書物、工芸などを展示する。

植物文様で彩られた、鮮やかなアラビア語の写本、線条細工の技法を用いてつくられた11世紀の金製ビーズのジュエリーなど、好奇心を刺激される美術品を多く収蔵している。アラブ諸国のものだけでなく、西はイベリア半島から東は中国まで広い地域のものを収蔵しており、イスラムの歴史や文化について多角的に知ることができる。

建築は、日本人建築家・槇文彦による。圧倒的なコレクションに加え、イスラム世界の建築様式にインスピレーションを受けた美しい建築も見逃せないポイントだ。

宮殿のファサードや壁装飾など、巨大な文化財をまるごと展示。

世界遺産「博物館島」の中枢をなすペルガモン博物館。1930年に完成した新古典主義建築の中にある9900㎡の広大な展示空間には、イスラム美術の他、古代ギリシャ・ローマ美術、古代オリエント美術の3つのコレクションが設置され、見応えがある。

8〜19世紀までのイスラム文化・芸術を網羅するコレクションは、1904年、美術史家のヴィルヘルム・フォン・ボーデによって創立された。ペルシャ絨毯のコレクターでもあったボーデの収集品の他、トルコのスルタンからドイツ王に贈られた「ムシャッター宮殿のファサード」や、現存する最古のシリア住宅の壁装飾のひとつ「アレッポの部屋」などの建築作品は、一部屋を使って展示され、当時の暮らしや文化を生き生きと伝える。

photo: © Georg Niedermeiser/ Museum für Islamische Kunst, SMB/ bpk/amaimages

17世紀にキリスト教徒の商人が現在のシリアにつくらせた壁装飾「アレッポの部屋」。木造の壁の表面を、丹念な彩画が覆う。

photo: © Hans Christian Krass/bpk/amanaimages

1830〜1930年の間につくられた博物館島。第2次世界大戦の被害から再建が進められており、この博物館も一部工事中。

photo: © Georg Niedermeiser/ Museum für Islamische Kunst, SMB/ bpk/amaimages

8世紀頃、ヨルダンの砂漠の中に建設されたウマイヤ朝期のムシャッター宮殿のファサード。見事な文様のレリーフが施されている。

イスラム美術博物館(ペルガモン博物館内)

MUSEUM FÜR ISLAMISCHE KUNST (PERGAMONMUSEUM)

●Bodestraße 10178 Berlin, Germany ☎+49・(0)30・266424242
(開)10時〜18時(木曜は20時まで) 無休 ※一部祝日の開館時間は要確認 (料)一般12ユーロ www.smb.museum/home

モスクの説教壇の木製装飾の一部。1300年頃、エジプトのカイロでつくられた。中心は黒檀、白い縁取りは象牙を用いた細工。
The David Collection, Copenhagen, Photo: Pernille Klemp 6/2008

ダヴィード・コレクション
THE DAVID COLLECTION

●Kronprinsessegade 30, 1306 København K, Denmark
☎+45・3373・4949
㊋10時〜17時(水曜は21時まで)
㊡月、12/23〜12/25、12/31
入場無料　www.davidmus.dk

コペンハーゲン市内の中心、「王様の庭園」前の由緒ある建物の一部。入り口は小さいが、美術館は5フロアにわたる。
The David Collection, Copenhagen, Photo: Pernille Klemp

14世紀頃、シリアでつくられたとされる、高さ8.5cm、直径35cmの大皿。幾何学文様と植物文様の調和が美しい。
The David Collection, Copenhagen, Photo: Pernille Klemp 21/1992

実業家の個人所蔵から発展した、北欧の知られざる美術館。

弁護士で実業家だったC・L・ダヴィッドが亡くなるまで住んだ邸宅を改装し、彼が集めたヨーロッパ近代絵画やイスラム工芸品の美術館として、1960年にオープン。のちに運営財団の方針でイスラム美術の所蔵品を増やし、現在、展示は館内2フロア、20セクションにおよぶ。7〜19世紀のアラブ地域を中心とした歴史の表があり、スペインからインドまでのイスラム書画や工芸品が時系列に並べられているので、予備知識がなく訪れてもわかりやすい。

キュレーターによると、2000年以降、アラブ社会への関心が高まり、来館者は増え続けているという。常設展に加え、シリアの人々を被写体にした写真展や「人間の動き」などのテーマを設けた企画展やレクチャーなども好評だ。

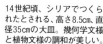

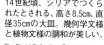

門外不出の収蔵品の中には、シリアやイラクの陶器の名品も。

フリーア美術館は、ワシントンD.C.の中心部にあり、全米最大規模として知られるスミソニアンの博物館群を構成する施設のひとつだ。実業家、チャールズ・ラング・フリーアが生涯をかけて収集した約7500点もの美術品をスミソニアン協会に寄贈し、1923年に開館した。フリーアの遺言により、同館のコレクションはすべて門外不出となっており、ここでしか観ることができない。東洋や中央アジアの美術品に加えて、イスラム美術を数多く所蔵。陶磁器をはじめ、彫刻やテキスタイルなどを展示し、隣接するアーサー・M・サックラー・ギャラリーのものと合わせると、展示品は2200点以上にもおよぶ。特にシリアやイラクの陶器は保存状態もよく、当時の美しさをいまに伝えている。

photo : © Freer Gallery of Art and Arthur M. Sackler Gallery, Smithsonian Institution, Washington, D.C.

荘厳な雰囲気の白亜の建物。常設展に加えて、映画の上映会やコンサートなど、さまざまなイベントも開催している。

フリーア美術館

FREER GALLERY OF ART

●Jefferson Drive at 12th Street, SW, Washington, DC 20560 U.S.A.
☎+1・202・633・1000
㊐10時～17時30分　㊡12/25
入場無料　※新型コロナウイルスの影響のため、現在は休館中
営業再開についてはHPを要確認
www.freersackler.si.edu

シリアの陶器。12世紀後半～13世紀前半にかけてつくられたものとされる。ターコイズの色合いと黒色の優美な鷺(さぎ)が印象的な作品。

photo: © Freer Gallery of Art, Smithsonian Institution, Washington, D.C.: Purchase — Charles Lang Freer Endowment, F1947.8

12世紀頃、ファーティマ朝期のエジプトでつくられたラスター彩陶器。写実的とも言える騎馬人物の表現が圧巻だ。

photo: © Freer Gallery of Art, Smithsonian Institution, Washington, D.C.: Purchase — Charles Lang Freer Endowment, F1941.12

19世紀、西洋の憧れが描かせた東方《オリエント》の絵画。

これまで、アラブ地域で生み出された数々の美しいものを取り上げてきたが、ここで外部の視点からアラブを捉えた芸術に焦点を当ててみたい。それは19世紀のヨーロッパで流行した「オリエンタリズム絵画」だ。

きっかけは１７９８年、のちのフランス帝国皇帝、ナポレオン・ボナパルトによるエジプト遠征だ。当時はヨーロッパの強国がアジア、中東、アフリカを支配下に収めようとしていた時代。ナポレオンの遠征はこの動きを加速させ、軍や外交使節団は画家を随行させるようになり、中東や北アフリカを盛んに描かせた。

時を同じくしてフランス革命や産業革命による社会構造の変化を受け、特にフランスを中心に個や感情を尊重するロマン主義が台頭し始める。ロマン主義の画家たちは異国への好奇心を強く示し、「オリエント＝東方」に新たな画題としての面白さを見出した。

アフリカや中東に惹かれた画家たちは、イスラム文化圏の風俗や風景を好んで取り上げた。女性の姿も多く描かれ、１８３４年に『アルジェの女たち』を描いたウジェーヌ・ドラクロワはハレムを見学した際に「なんと美しいことか。ホメロスの時代のようだ」という言葉を残している。彼らは西洋で失われた古代の美や失われた純粋性をオリエントに求め、幻想を抱いたのである。画家たちはハレムの他、ときに暴力的なシーンも描きながら、エロスとタナトス（死）を表現。やがて画家たちは、より写実的な描写を志向する。

新古典主義を代表する作家、ジャン＝レオ

『アムルのモスクでの祈り』

ジャン=レオン・ジェローム画
1872年頃
油彩、カンヴァス
88.9×74.9cm
ニューヨーク　メトロポリタン美術館

新古典主義の巨匠として知られるジェロームは、1856年にエジプトを初訪問。以降、11回にわたり現地に足を運び、アラブの宗教、風俗、北アフリカの風景を描いた。写実性が高いため現実を描いたように思われるが、構図の完成度を高め、好奇心を刺激するための作為が随所に見られる。

photo : © www.bridgemanimages.com/amanaimages

『カリフ、アル=ハキームの寺院址（カイロ）』

プロスペル・マリヤ画
1840年　油彩、カンヴァス
84.5×130.5cm
パリ　ルーヴル美術館

東方風景画家として知られるマリヤは、1831年から33年にかけてエジプトやアナトリア半島に滞在。素描に基づく風景画をサロンに出品し、高い評価を得る。写実的な作品は多くの画家を刺激し、レオン・ベリーやギュスターヴ・ギヨメら後進の画家を現地へと誘い、西洋文明の浸透を免れた奥地を描くことにつながる。

photo : © www.scalarchives.com/amanaimages

ン・ジェロームもそのひとり。彼の代表作『アムルのモスクでの祈り』（1872年頃）は、精緻な筆致で当時をリアルに伝えるようだが、実際にはモスクに入ることのできない武器を携行する人物や裸の物乞い、鳩が描かれ、演出性が強い。この時代、既に現地は西洋化が進んでいたというが、画家はエンターテインメント性や構図を重視し、人々の好奇心を刺激するモチーフを多く描いた。つまり彼らは、西欧からの欲望を描いたのである。

photo : © www.bridgemanimages.com/amanaimages

『アルジェの女たち』

ウジェーヌ・ドラクロワ画　1834年　油彩、カンヴァス　180×229cm
パリ　ルーヴル美術館

1832年、ドラクロワは使節団とともにモロッコを訪問する途中でアルジェリアに立ち寄る。現地のハレムで中庭や回廊から女性たちを観察したといい、本作ではセルウェール（膨らんだ七分丈のズボン）を纏ったハレムの側室たちを描く。床に転がるのは、娼婦の絵によく描かれるアヘンやバブーシュ。

もちろんそこには、ヨーロッパにはない魅力への憧憬も表された。たとえば光の強いアルジェリアを描いたドラクロワの絵は、彼の他作品よりも原色に近い色づかいが多い。のちに印象派は補色の強い対比を効果的に用いて描くが、その萌芽がこの絵には見られる。

19世紀後半になると、オリエンタリズムの流行は下火になる。日本に強い影響を受けたジャポニスムの隆盛、そして写真や映像などの新しいメディアが、絵画の代わりに伝達の役割を担うようになったことが理由だ。

ヨーロッパの支配する側としての視点が根底にあるという点で、オリエンタリズム絵画には批判がある。19世紀のヨーロッパの人々が感じた抗いがたい魅力と、新たな絵画表現を誘発した「東方」について、考えながら作品を見直してみたい。

（山田泰巨）

愛読者カード

■本書のタイトル

■本書についてのご意見、ご感想をお聞かせ下さい。

※ このカードに記入されたご意見・ご感想を、新聞・雑誌等の広告や弊社HP上などで掲載してもよろしいですか。

はい（実名で可・匿名なら可）・いいえ

ご住所	〒□□□-□□□□　☎　—　—		
お名前	フリガナ	年齢	性別
			男・女
ご職業			

郵便はがき

おそれいりますが
切手を
お貼りください。

141-8205

東京都品川区上大崎3-1-1
株式会社CCCメディアハウス
書籍編集部 行

複数の物語が入れ子となった、『千夜一夜物語』。

エドマンド・デュラック
『シェヘラザード』

1907年
『千夜一夜物語』の挿絵
個人蔵

『千夜一夜物語』の大枠の物語は、ペルシャの大臣の娘シェヘラザードがシャフリヤール王に毎晩、面白い物語を語って聞かせるというもの。

photo : ©AF Fotografie/Bridgeman/amanaimages

ランプの精霊や空飛ぶ魔法の絨毯、シンドバッドの冒険に、アリババやアラジンの物語。のちにディズニー映画の題材にもなった『千夜一夜物語』は、『アラビアンナイト』という題で、子どもから大人まで、世界中で親しまれてきた中東世界に伝わる物語だ。欧米では、ガラン版やバートン版など、翻訳者によって収録作品も異なる複数の版が刊行された。

　原典とされる遺物は見つかっておらず、現存する最古の写本として、9世紀に書かれた断片が見つかっている。そこにはアラビア語で、「キターブ・フィーヒ・ハディース・アルフ・ライラ」、すなわち「千の夜の物語の書」と題されていた。私たちが今日目にするような、千一夜の物語を詰め込んだような形になった時期は、定かではない。ペルシャやインド各地の民話が、ササン朝ペルシャ時代に編纂されたのが最初の成立と考えられている。イスラーム化が進む過程でアラビア語に翻訳され、最古の写本が伝える通り、その原型が

（右）
エドマンド・デュラック
『アリババと40人の盗賊』

1907年　『千夜一夜物語』の挿絵
個人蔵

「開け、ゴマ！」という呪文によって、宝を隠した洞窟の扉を開ける盗賊。「アリババと40人の盗賊」のなかでも最も有名な場面だ。

photo : ©Lebrecht Authors/Bridgeman/amanaimages

（左）
エドマンド・デュラック
『アリババと40人の盗賊』

1907年　『千夜一夜物語』の挿絵
個人蔵

主人であるアリババを守るために盗賊が隠れた壺に煮えたぎった油を注ぎ、撃退するマルジャーナを描いた挿絵。貧しい木こりだったアリババはある日、盗賊の持っていた宝を手にするが、結果、兄を殺され、自分も盗賊に狙われることになる。

photo : ©Hilary Morgan/Brideman/amanaimages

9世紀頃にできたとされる。

その後、ルイ14世時代のフランス人東洋学者アントワーヌ・ガランが、アラビア語の写本を入手し、これをフランス語に翻訳した。1704年にパリで出版された同書はたちまち人気を博し、宮廷の話題をさらった。すぐに英語訳が出版され、のちに欧米各国の言葉で翻訳されていった。

19世紀に入ると、欧米では産業発展に伴い経済力をつけてきた中産階級が登場するとともに、子弟教育に力を入れるようになってきた。結果、児童文学が発達し、その題材としてファンタジー色の濃い『千夜一夜物語』は子ども向けに翻案され、普及していった。その過程で、さまざまな挿絵が描かれ、挿絵芸術というジャンルの確立に寄与することとなった。こうして、中東に勃興したペルシャ世界とアラブ世界が出合うことで成立、編纂された物語は、欧米へと輸入され、子どもから大人まで多くの人々を魅了したのである。

デンマークの童話作家・詩人のアンデルセンや、ドイツの詩人・作家のゲーテも、こうして欧米に普及した『千夜一夜物語』を愛読したという。

エドマンド・デュラック
『魔法の馬』

1907年　『千夜一夜物語』の挿絵
個人蔵

王子が美しい姫を初めて見かけた場面を描いた挿絵。「魔法の馬」の物語は、空飛ぶ馬に乗った王子が遠国の姫と恋仲となり、一緒になるという恋愛譚である。同物語は、ガラン版よりも古い時代のアラビア語写本には確認されておらず、アラジンの物語と同様に、『千夜一夜物語』に本来収録されていたか定かではない。

photo：©Bridgeman/amanaimages

エドマンド・デュラック
『魔法の馬』

1907年　『千夜一夜物語』の挿絵
個人蔵

インドの賢者によって贈られた魔法の馬に乗って、夜空を飛ぶ王子。『千夜一夜物語』の挿絵を手がけたエドマンド・デュラックは「挿絵の黄金時代」と呼ばれる20世紀初頭を代表する挿絵画家で、彼が使う印象的な青色は「デュラック・ブルー」と呼ばれた。

photo：©Archives Charmet/Bridgeman/amanaimages

『千夜一夜物語』は、文学の形式で言えばいわゆる「枠物語」と呼ばれる形式で書かれている。これは、大枠の物語のなかに小さな物語が埋め込まれ、さらにいくつもの支話に分かれていくといった、入れ子構造になっているのが特徴だ。

大枠の物語としては、ペルシャの王シャフリヤールに、大臣の娘シェヘラザードが毎晩、朝まで面白い物語を語るというもの。シャフリヤール王は妻の不貞がきっかけで、女性不信となっていた。妻と浮気相手を殺害すると、街の娘と一晩を共にしては朝にはその首をはねるという何とも恐ろしい王だ。シェヘラザードは王を改心させるために、王の相手を務め、毎晩、面白い物語を語って聞かせる。いちばんいいところで、「続きはまた明日」と焦らすことで、彼女は首をはねられることなく、それが千と一夜続いたという。その後、王の心も解きほぐされて、大団円を迎えるというのが大筋である。

コーラン写本は高貴な芸術。

コーラン写本の美の神髄を探る。

現代ではあまり馴染みのない、写本芸術というジャンル。写本とは、あるテキストを手書きで写した書物のことであり、従って写本芸術とは、写本における書や絵画、装丁などの美を追求する芸術のことだ。アラブを含むイスラム世界では、イスラム教の聖典コーラン（原音は「クルアーン」）をはじめ、挿絵や図解を伴う物語や叙事詩、科学書など、さまざまなテキストがその対象となった。

なかでもコーラン写本は、イスラム圏において、最も高貴な写本芸術であると見なされている。コーランの書写は、預言者ムハンマドを通じて神から啓示された言葉を自らの手で書きつける、きわめて神聖な行為だからだ。それゆえ、アラビア文字を使って神の言葉を記す書家の地位は、画家などのそれと比べて格段に高かった。

砂漠に生きるアラブの人々は、イスラム教が興る以前から、口承の文化を享受していた。ムハンマドが神の啓示を伝えた時も、文字に書き残されることはなかったという。しかし、彼の死後、イスラム勢力圏が拡大するなかで、その文言が多様化する恐れが生じた。そこで第3代正統カリフ、ウスマーンは文字によって正確に記録し、正典をつくることに尽力した。ここに今日コーランとして読まれているアラビア語の書物が誕生したのだ。

しかし当時は、植物の繊維で紙をつくる製法がイスラムに伝わっていなかったため、羊皮紙などの獣皮紙の上に、葦のペンを用いてインクで文字を書き付けていた。制作年代と場所が確かな最古のコーラン写本は、9世紀

アラビア文字の書体の例

アラビア文字の基本六書体は、ムハッカク体、ライハーニー体、スルス体、ナスフ体、タウキーウ体、リカーウ体。10世紀頃のアッバース朝の宰相、イブン・ムクラがこれらの書体の確立に貢献した。上はコーランに頻繁に登場する定型句バスマラが、ムハッカク体で記されたものだ。「慈悲深く慈愛あまねき神の御名において」という意味をもち、第9章を除くすべての章がこれで始まる。下は、複数の書体でつくられたコーランの写本で、スルス体で書かれた装飾的な金文字の部分。

photo：© Victoria and Albert Museum, London/amanaimages

ムハッカク体

photo：© Pictures from History/Bridgeman/amanaimages

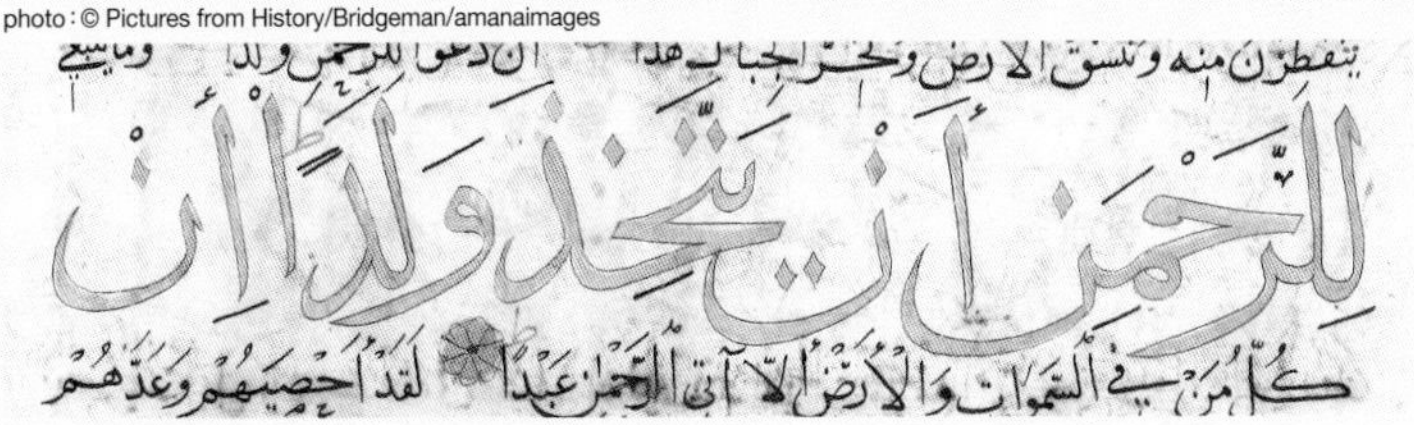

スルス体

photo : © Freer Gallery of Art, Smithsonian Institution Purchase - Charles Lang Freer Endowment/Bridgeman/amanaimages

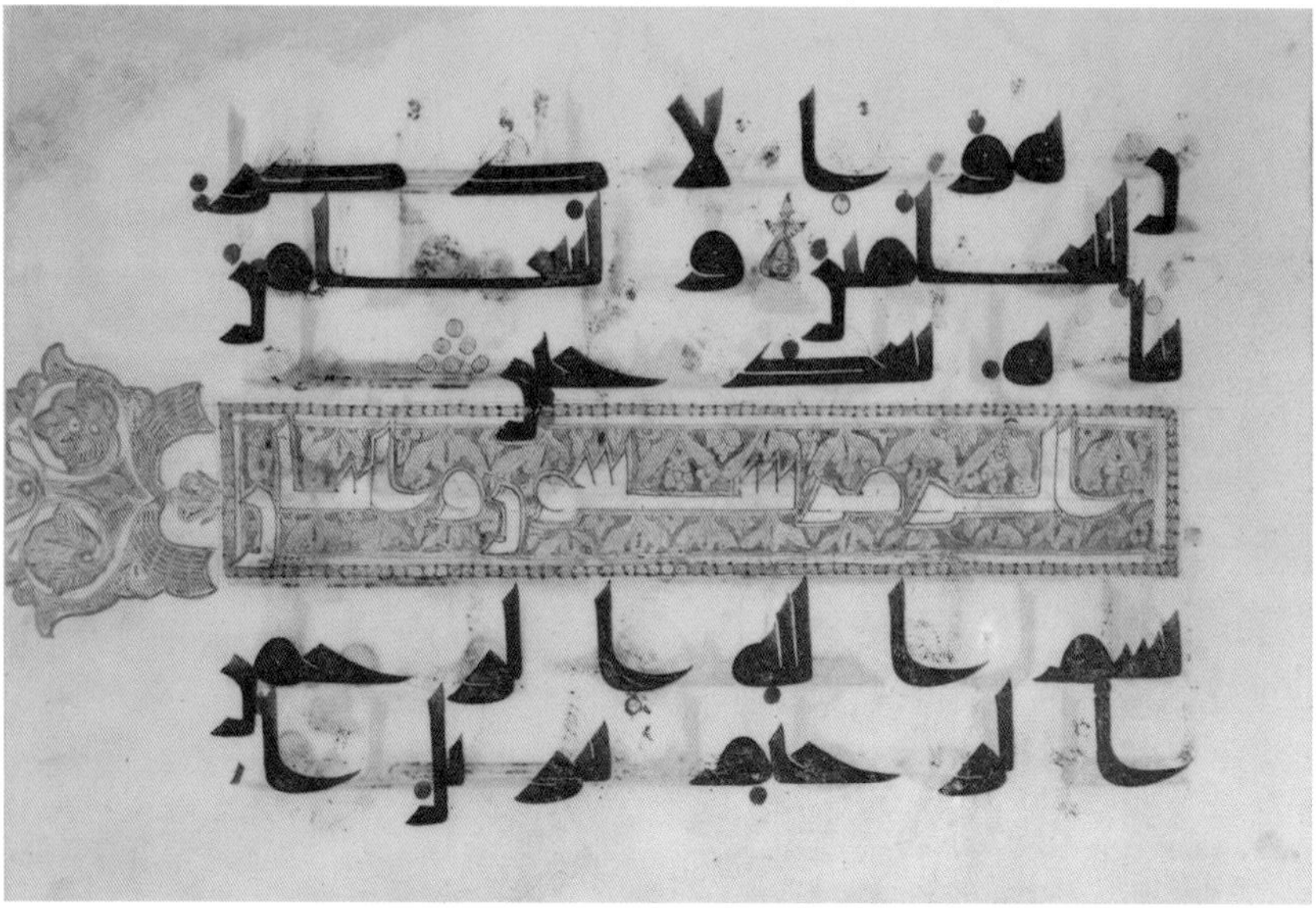

第38章「サード」(末尾)**、第39章「群なす人々」**(冒頭)

8〜9世紀　アッバース朝　制作地 中近東・北アフリカ　獣皮紙本、インク、金彩、着彩
約23.9×33.6cm　ワシントンD.C.　フリーア美術館

クーフィー体で書かれた章見出し(金の装飾部分)と章句。アラビア語表記は通常子音のみで母音がなく補助記号を使うが、ここでは読誦者のために赤い丸印で母音を示している。

頃につくられたもの。角張った太い線が特徴の、クーフィー体という字体で記されていた。

アッバース朝期に紙が普及し始めると、これまでより書きやすく、読みやすい字体が考案された。10世紀頃には、アラビア文字の基本六書体が定まる。また、文字の整備に伴い、コーランを朗誦する人々のための記号が付されるようになったが、それらは装飾の要素としても昇華されていく。なかでもシュジャイラ(英語でパルメット)と呼ばれる円形装飾は非常に好まれ、読むための記号の他、各章の見出しの欄外装飾としても頻繁に描かれた。

マムルーク朝期には、王侯貴族たちはこぞって豪華な装丁のコーラン写本をモスクに寄進するようになる。それらは、星形を基調とする多角形の幾何学文様で装飾されることが多かった。

流麗な文字と精緻な文様の美しさを追求したコーラン写本。神の言葉を記した高貴な芸術は、いまなお尊ばれている。(小林一枝)

第7章「胸壁」第88～89節（見開き右側部分）

14世紀　マムルーク朝　制作地エジプト　紙本、金彩、着彩、インク　約26.7×19.2cm
ロンドン　大英図書館

マムルーク朝の王侯貴族は、贅を尽くした大判のコーラン写本をモスクや学院に寄進した。ここでは、金と青を主体とする十角形の星型幾何学文様が施されている。こうした星形幾何学文様は、マムルーク朝期の美術一般に確認できる特徴だ。

悪漢も愉快に描かれた、物語写本がヒット！

イブン・アル＝ムカッファ著

『カリーラとディムナ』

アラブの散文作品。動物寓話の形をとり、理想の君主になるための教訓などが説かれている。8世紀頃、イブン・アル＝ムカッファが、中世ペルシャに伝わったインドの説話集を翻案した。

第48葉 カリーラとディムナ

13世紀前半　アイユーブ朝
制作地シリア　紙本着彩　約28×21.5cm
パリ　フランス国立図書館

中央に「生命の樹」、両脇に守護獣を左右対称に置くという古代オリエントに由来する典型的な構図で、山犬のカリーラ（右）とディムナ（左）を描く。草花や樹木の描写は写実性がなく様式化されていて、装飾的である。安定した華やかな画面で、この写本における代表的な挿絵と言える。

第38葉 欲張りな犬（部分）

14世紀　マムルーク朝　制作地エジプト　紙本着彩　約25.5×18.5cm
ミュンヘン　バイエルン州立図書館

イソップ寓話にも含まれる話。好物の骨を咥えて川岸を歩いていた貧相な犬は、水面に映った自分の姿を別の犬と誤認。欲張りな犬が、「その骨をよこせ！」と吠えると、咥えていた骨はそのまま川へ落下した。

イスラム教は、一般的に、人や動物を描くことを禁じていると思われている。しかし、聖典コーランに、生物の描写を禁ずる章句はない。特定の像や絵を拝む偶像崇拝は確かに禁じられているが、生物を描くことを忌むべきこととして警告しているのは、預言者ムハンマドの言行伝承を記録した書物、ハディースである。ただし、この規制は、宗教美術の分野では厳格に遵守されたものの、世俗の作品には適用されないこともしばしばであった。実際、挿絵や図解の入った物語や叙事詩、科学書などの写本が数多くつくられ、アラブの人々にも愛された。

その背景には、高度な科学や哲学など、古代ギリシャが遺した書物を、イスラム世界が熱心に学び引き継いだという事実がある。また、8世紀頃、アッバース朝期に紙の製法が伝播しただけでなく、10世紀頃にアラビア文字の基本書体が確立されたことも、その受容を後押しした。

photo : © The Bodleian Library, University of Oxford MS. Pococke 400, 61b

第61葉 2羽の鷺鳥と亀（部分）

1354年　マムルーク朝　制作地エジプトもしくはシリア　紙本着彩　約36.5×25cm

オックスフォード　ボドリアン図書館

広い世界を見たいと願った小さな池に住む亀は、親友の2羽の鷺鳥がつかんだ棒を口で咥え宙を飛んでいった。その奇妙な姿を見つけた人間が囃し立て、憤慨した亀は口を開く。そのとたん、亀は落下してしまう。

なかでも、9世紀に君臨したアッバース朝第7代カリフ、マアムーンは、文化の発展に尽力した。古代ギリシャの科学書や哲学書の翻訳に取り組むため、研究所や写本工房、図書館からなる施設「知恵の館」を創設。天文学の書や植物・動物図鑑などは図解なしでは理解が難しかったため、挿絵も含めてアラビア語版に写された。

こうした科学書に次いで人気を誇ったものが物語写本だ。特にアラブの古典寓話集『カリーラとディムナ』は、その代表作。この書物の歴史は古く、その起源は古代インドの説話やそれらを収集した『パンチャタントラ』にまでさかのぼる。後者は、倫理や処世、統治や外交などのテーマを中心に、君主としての心得を王子に説いたもの。時代が下ると、古代インドの叙事詩『マハーバーラタ』からの挿話が加えられた中世ペルシャ語版が、ササン朝ペルシャで編纂された。『カリーラとディムナ』は、これをアラビア語に翻案した散

photo：©PVDE/Bridgeman/amanaimages

第95葉
カラスの会議
「ミミズクと
カラスの話」より

13世紀前半　アイユーブ朝
制作地シリア　紙本着彩
約28×21.5cm
パリ　フランス国立図書館

ミミズクとカラスは常々敵対していた。カラスの王は敵側にスパイを送り込む案を採用する。スパイはミミズクの王や側近たちの信用を得たのち、頃合を見計らってカラスの集団はミミズクを襲撃、敵は滅ぼされるという物語。敵を信ずるな、気を許すなという教訓譚。

文作品であり、イブン・アル＝ムカッファによって著されたものである。

題名は、物語に登場する2匹の山犬の名前に由来する。現存する最古のアラビア語の写本は、13世紀前半にシリアで書写されたとされる、フランス国立図書館収蔵の作品だ。この写本には、後世の作と思われる8つを含む98の挿絵が含まれる。草花や樹木は極端に様式化されており、写実的描写は見られない。一方、構図や動物の表現からは、古代オリエントやペルシャ美術の伝統を知ることができる。『カリーラとディムナ』の人気は絶大で、イスラム世界に広く拡散。多数の写本がつくられたばかりか、ヨーロッパの動物寓話にも影響を与えた。たとえば『イソップ物語』の挿絵やそこから主題を得た絵画に、イスラム世界のそれと同じ内容が散見される。また、仏教やヒンドゥー教寺院の浮彫にも同様のものがあり、時代と地域を超えた文化の伝播がうかがえて面白い。

（小林一枝）

文章に書かれていない情景まで、挿絵で表現。

このように、アラブの人々に愛された物語写本。しかし、13世紀にアッバース朝の首都バグダッドがモンゴル帝国に侵略されると、それ以前に制作された膨大な写本は焼き払われてしまった。アル・ハリーリーが著した説話集『マカーマート』は、そんななか、わずかに残った物語写本である。

「マカーマ（マカーマートは複数形）」とは、「集会」や「講話」などと訳されるが、主人公が「人の集まるところ」に立ち、手練手管で聴衆をペテンにかけ、金品を巻き上げるさまを著した文学の形式を指す。作品の主人公の名はアブー・ザイドで、語り手はアル＝ハーリス。全50話からなるが、主人公の「語り」は、単なるホラ話ではなく、高度に技巧を凝らした散文の「騙《かた》り」として表現されている。ダジャレや回文、本歌取りの応酬などに加え、アブー・ザイドの優れた詩作も見どころだ。

この物語写本の書と絵を手がけた人物がヤフヤー・アル＝ワースィティー。彼の挿絵で興味深いのは、テキストを忠実に図解していないことだ。ときに複数の視点から近景や遠景を巧みに描き分け、物語には書かれていない情景をも描写している。出産や葬儀の場面に、巡礼団や奴隷市場、さらには、シンドバッドの船として有名な、一本マストのダウ船など、風俗が克明に描かれていて面白い。

13世紀にこうして最盛期を迎えたアラブの写本挿絵は、その後も人々に大切に受け継がれていった。

（小林一枝）

アル・ハリーリー著
ヤフヤー・アル＝ワースィティー書、画

『マカーマート』

イスラム世界のさまざまな場所を旅して回る、主人公のアブー・ザイド。彼が言葉巧みに人々を騙し、稼いでいく様子を、語り手のアル＝ハーリスが語り聞かせるという形式をとっている。

第5葉　文学サロン（図書館）のアブー・ザイド

1237年　アッバース朝　制作地イラク　紙本着彩　約37×28cm

パリ　フランス国立図書館

文学サロンで白熱した議論をしていると、突然、白髭のアブー・ザイドが割り込んできて、自分の即興詩を披露し始めた。画家はこれを図書館の中での出来事とし、書棚や横積みにされた本など、当時の図書館の様子を背景として描写した。

photo：©CPA Media Pte Ltd/Alamy/amanaimages

第35葉
老婆に変装する
アブー・ザイド（部分）

1237年　アッバース朝　制作地イラク
紙本着彩　約37×28cm
パリ　フランス国立図書館

ヴェールを纏った老婆に変装したアブー・ザイドが、ひと回り小さく描かれた貧相な子どもを連れて、詩人の集いに現れた。その見事な弁舌に、一同は驚き金品を布施として差し出す。右端の人物が語り手のアル＝ハーリスで、彼も騙された。

photo：©BnF, Dist. RMN-Grand Palais/amanaimages

第119葉
アブー・ザイドと
アル＝ハーリス、航海に出る

1237年　アッバース朝
制作地イラク　紙本着彩　約37×28cm
パリ　フランス国立図書館

アブー・ザイドとアル＝ハーリスを乗せたダウ船は、難破して南の島に漂着する。この写本では、意気揚々と船出するシーンが描かれているが、マストが折れて難破した船の様子を描いた別の写本もある。

アラブの日常と現代文化。

日常のやり取りからわかる、アラブ人らしさ。

挨拶の応酬に込められた、人々が大切にしていること。

文・アルモーメン・アブドーラ
ARUMOMEN ABUDORA
東海大学教授(日本語日本文学博士)

●エジプト・カイロ生まれ。元NHK『テレビ・アラビア語講座』講師。天皇皇后両陛下やアラブ諸国首脳の通訳を務める。おもな著書に『地図が読めないアラブ人、道を聞けない日本人』『アラビア語が面白いほど身につく本』。

数年前、日本のとあるアラブの国の大使館で働いていた時のこと。内線で他部署の同僚や担当者になにかを伝えるたびに、こんなやりとりをするのが日課だった。

筆者：アッサラーム アライクム (こんにちは、あなたが平安であるように)。

同僚：ワアライクムッサラーム (こんにちは、あなたも平安であるように)。

筆者：お元気ですか。

同僚：ええ、アルハムドッリッラー (アッラーのおかげで、元気ですよ)。

筆者：アルハムドッリッラー、ご家族もお元気ですか。

同僚：ええ、アルハムドッリッラー、みんな、元気にしていますよ。

筆者：お子さんは大きくなったんでしょうね。お父さんの具合はどうですか？

——と続く。しかしこれで終わりではない。しばらくして同じ人と電話で話す場合でも、対面して話す場合でも、会話の始めに決まって「元気ですか、順調ですか？」などと繰り返し、挨拶の応酬が始まる。こんなやりとりに一体どんな意味があるのかと滑稽に見えるかもしれないが、そこには、アラブ世界の「人と人のつながり」の強さと、それを大切に思う気持ちが込められているのだ。

挨拶は重要な文化のひとつである。日本語の挨拶という漢字にはどちらも「近づく」という意味があり、挨拶行動の本質を言い表している。しかし、「お元気ですか」「はい元気です、あなたはいかがですか？」といった挨拶は、日本人の間で日常的に、頻繁に交わされることはあまりない。長い間会わなかった人と再会した時に使うくらいだろう。

アラブ人は三度の飯よりおしゃべりが好きな民族である。そのため、挨拶を交わす際にも慌てず急がずていねいに、相手の健康、家族、仕事など一つひとつについて「〜はどうですか」と尋ねることを礼儀と考える。

「アッサラーム アライクム」というアラブ世界の代表的な挨拶は、「あなたが平安であるように」という意味の言葉なのだが、これは道端でもどこでも、見知らぬ人とでも交わす基本的な挨拶の言葉だ。しかも大抵の場合、この言葉ひと言では終わらない。「適切な距離を取ることが大切」と考える日本人のスタイルとは少し異なるかもしれない。だがアラブ人は、挨拶する相手が毎日会っている人であるからこそ、熱烈に時間をかけて挨拶し、身振り手振りを交えていかにあなたに会いたかったかと熱く伝える。

20年以上も前の話なのだが、生まれ育ったカイロの、とある地域の一角に老舗のクリーニング屋さんがあった。その店のおやじさんの口癖は、「挨拶と笑顔は、善徳なり」という言葉だった。そして、おやじさんのその声はいまも色褪せることなく、私の心にある。

結婚式に欠かせないのは、大音量のミュージック

文・松田嘉子
YOSHIKO MATSUDA
ウード奏者、多摩美術大学教授

●チュニス国立高等音楽院のアリ・スリティ教授に音楽理論とウード奏法を学ぶ。アラブ古典音楽アンサンブル「ル・クラブ・バシュラフ」メンバー。共著に『中東世界の音楽文化〜うまれかわる伝統』。http ://arab-music.com

かつての留学先であり、演奏旅行などでたびたび訪れているチュニジア。現地に滞在していると、よく結婚式への誘いを受ける。日本の結婚式のように招待客の数が決まっていてコース料理を出したりするわけではないので、ちょっとした知り合いでもすぐに招待するらしい。特に夏は結婚式の季節。毎晩、街のあちこちで宴の喧騒が夜通し続く。ひと口に結婚式といってもいろいろなスタイルがあるが、ここでは首都チュニスの結婚式の模様を紹介しよう。

料理も出ない、新郎新婦の挨拶もない。友人や上司のスピーチもない。客の隠し芸もない。ただしケーキカットがあるのは洋風である。お祝い事だから、とにかく人がたくさん集まっているようだ。ひときわ濃いメイクとウェディングドレスなど洋装で着飾った新郎新婦が豪華な椅子に鎮座すると、彼らを眺めながら客はそれぞれおしゃべりしたり、写真を撮ったりしてダラダラと長い時間を過ごす。ひたすら振る舞われるのは、ジュースやコーラなどの清涼飲料水とお菓子だけ。お酒がなくても目一杯楽しめるのがチュニジア人の強みだ。彼らは概して明るく、人懐っこい人が多い。

そんな結婚式に欠かせないのが音楽の生演奏。それは出し物の一部ではなく、式の最初から最後まで、休みなく延々と続けられるものである。なにせスピーチがないのだから、中断することもない。チュニジア人は音楽が大好きだから、バンドが大音量で演奏し歌が始まると、客の間からも大きな声で歌い出す人たちがいる。踊りたい人はテーブルを離れて広いスペースに出て踊り出す。ダンス上手が注目を浴び、何曲も踊りまくる娘さんもいる。

少し格式の高い結婚式では、オーソドックスな古典楽団が呼ばれて、厳かにチュニジア伝統音楽を演奏するが、そんなケースは稀である。ごく普通の結婚式のバンド編成は、歌手、キーボード、ダルブッカ（片面太鼓）やリク（タンバリン）などのパーカッション、エレキベースなど。アラブポップスのスタンダードやヒット曲を演奏する。それにバイオリンやアラブ伝統楽器のウード（撥弦楽器）、カーヌーン（琴）、ナイ（笛）などが加わることもある。

いずれにしても、歌手は必ず必要である。と言うのも、アラブ音楽では伝統的に、器楽音楽だけを楽しむということはあまりなかったからだ。人々は歌が大好きで、しかもやかましい音に慣れており、音楽の音量は常に最大。歌は激しくひずんでいて、お風呂のようなエコーがかかっている。長時間演奏するため、歌手だけでなく伴奏者も途中で交代して休んだりする。

それにしても、どういうわけかみな夏に結婚式を挙げるのだが、一方で「夏に結婚して、冬に離婚する」という言い回しがチュニジアにはある。若くして結婚するのがアラブ式といえるが、チュニジアの人たちはすぐに離婚してしまうことを言い表しているのだ。

アラブに生まれた芸術家2人の、作品と視点。

photo：©Wael Shawky　Courtesy the Artist and Lisson Gallery

photo：©Wael Shawky　Courtesy the Artist and Lisson Gallery

『十字軍芝居 ―三部作―』

ワエル・シャウキー監督
2010年～2015年　HDビデオ、計3時間30分

アラブから見た十字軍を描く映像作品。上は第2部『カイロへの道』、左は第3部『聖地カルバラーの秘密』より。第3部に登場するのは、ヴェネチアの職人による数百体の人形。その顔は深海魚を思わせる異形で、キャラクターの判別すらつきにくい。無感情で虐殺を繰り返す中世叙事詩の展開にふさわしい姿形だ。

photo：©Wael Shawky Courtesy the Artist and Lisson Gallery

ワエル・シャウキー
WAEL SHAWKY
エジプト出身

●1971年、エジプト、アレクサンドリア生まれ。現在は故郷と米フィラデルフィアを拠点に活動。2017年、『フェスティバル/トーキョー』で『十字軍芝居 ―三部作―』、『ヨコハマトリエンナーレ2017』で同作第3部を上映。
www.lissongallery.com

アラブと西欧の中間に立ち、双方の歴史観を揺さぶる。

歴史物語をもとに新たな観点を提示するエジプトの映像作家、ワエル・シャウキー。人形劇のスタイルを採る長編『十字軍芝居 ―三部作―』は世界的に議論を巻き起こし、日本でも反響を呼んだ。レバノンの作家アミン・マアルーフの『アラブが見た十字軍』に着想を得て、聖地エルサレムの奪回を目指す十字軍遠征をアラブの視点から描いた作品だ。美しい書き言葉のアラビア語や民族音楽を効果的に使用。ヨーロッパの立場からのみ光が当てられてきた暗黒の歴史と中東の地図に新解釈を与えた、画期的なアートである。

裏切りと殺戮を繰り返す、アラブの王族やキリスト教の教皇を演じるのはマリオネットだ。「人形のほうが観客は純粋に物語を受け入れ、自己を投影することができる」とシャウキーは語る。ときに動物的で奇怪な姿は、陶器や革、ヴェネチアンガラスでつくられ、物語と密接な関わりをもつ。なかでも第3部に登場するガラスの人形は、手足を震わせまばたきをするたび、鈴のさざめくような音を立て、脆弱な肉体の中のグロテスクな獣性をのぞかせるのだ。この人形に用いられたガラスは、イスラム教徒も十字軍も手玉にとったヴェネチア共和国とつながる。ヴェネチアはコンスタンチノープルを占領し、のちルネサンス時代に華麗な隆盛をみせた。

人形の造形が半透明に溶け人間らしさを失ううち、イスラム教とキリスト教の境界も曖昧になっていく。一方、人形を動かすワイヤーはあえてくっきりと撮影され、歴史を操る権力者の手を想起させる。

本作の資金提供者のほとんどが、醜悪な歴史を白日の下に曝されたヨーロッパの政府や企業だったという。これはひとつの希望と見ることもできるだろう。中東と西欧の間に立つ翻訳者とも言えるシャウキーは、多様な歴史観を客観的ににらみながら、わかりやすく視覚化する作品をつくり続けている。

photo：©Wael Shawky　Courtesy the Artist and Lisson Gallery

『アル・アラバ・アル・マドゥフナⅢ』

ワエル・シャウキー監督　2015年　4Kビデオ、25分

題名はエジプト中部、ナイル川沿いの古代遺跡が眠る村で、作品はそこで撮影された。秘宝を掘り起こす物語を、髭をつけ大人に扮した子どもたちが演じ、砂でつくられた洞窟のインスタレーションとともに上映された。エジプトの作家モハメド・ムスタガブの短編小説をもとにした3部作の中の1作。

photo : © Mounir Fatmi
Courtesy: artist and La B.A.N.K gallery, Paris

『障害物』

森美術館での展示風景(2006年)
ムニール・ファトゥミ作
2003年〜2004年　インスタレーション

ポンピドゥー・センターが企画、世界巡回し好評を博した『アフリカ・リミックス』に出展。乗馬の障害物のバーを配置した作品は、常に速く高く跳ぶことを運命づけられた競技の危うさを通して、グローバル社会の成果至上主義を批評している。

ムニール・ファトゥミ

MOUNIR FATMI

モロッコ出身

●1970年、モロッコ、タンジェ生まれ。現在はパリ在住。2017年に東京・代官山のアートフロントギャラリー(www.artfrontgallery.com)にて日本で初めての個展『ペリフェラル・ヴィジョン』を開催。www.mounirfatmi.com

政情や聖域にあるものを、アートの領域に引き出す。

モロッコで生まれ、ローマの国立美術学院で学び、パリを拠点に活動するムニール・ファトゥミ。現在進行形の政治・社会情勢に呼応する彼の表現スタイルは、機智に富み、美しくてスマートだ。2017年には60年ぶりにヴェネチア・ビエンナーレに参加したチュニジアの代表作家を務めた。日本でも2016年の瀬戸内国際芸術祭などに招聘され、2017年に日本で初の個展を開催。ノコギリの刃にコーランの言葉を優美なカリグラフィを用いて彫った彫刻など、代表作を出展した。

「子どもの頃、コーランは家で最も大切なもので、手を洗わないと触ってはいけないとされていました。このように聖域にあるものをアートの領域に引き出そうと試みています」とファトゥミは語る。

青年期まで過ごした街、タンジェの蚤の市は、彼にとって“生きる美術館”だった。「ヨーロッパに近い港町だったので、中古のテレビやクルマなどが早々と流入しました。母が手製の子ども服の店を出していて、学校から帰ると、ずっとそこでモデルをしていたんです。古い物が息を吹き返して第2の人生を始める場所、それが美学的な原点だったとも言えます」

やがてモロッコをはじめとするマグリブ地域の国々に急速な近代化の波が寄せ、ファトゥミは1993年にヨーロッパへ。伝統やナショナリズムから脱け出して、世界全体をつかみとりたいと思ったと言う。「ヨーロッパに渡った当時はまだ、アラブやアフリカの美術はエキゾティックなポストコロニアル文化と見なされ、作家はまるで欧米文化の子どものように扱われていました。2000年代になってからようやく、美術界の視点はアラブ社会それぞれが抱える問題や、独自の文化へと多角化していったのです」

アラブとヨーロッパの文化が往来する市場という現場で目を培ってきたファトゥミは、両者を相対化し、同等に理解する視点をいち早く確立した作家だ。

photo：©Mounir Fatmi

『モダン・タイムス、機械の歴史』

マトハフ・アラブ近代美術館(ドーハ)での展示風景(2011年)
ムニール・ファトゥミ作　2009年〜2010年　インスタレーション

鋭利に光る刃にアラビア文字でコーランの一節を彫り、抜け落ちた文字の断片を、また別の作品へと昇華させる。神聖視されているものを同等に美しく崇高な芸術に置き換えることで、現代の宗教やイデオロギーに意欲的に介入する、彼の代表作の1つ。

photo：© Mounir Fatmi

『失われた春』

ムニール・ファトゥミ作
2011年　インスタレーション

アラブ連盟加盟国・地域の旗を壁にかけた作品。この中で「アラブの春」で政権を打倒したチュニジア、リビア、エジプトの旗に、腐敗の一掃と秩序を象徴する箒を立てかけた。展示時期の情勢を反映させ、この展示とは別の国の旗に箒を立てかけたバージョンも。次はどう展示されるか。

庶民を描いた映画が、多くの人の心に響く。

藤本高之 TAKAYUKI FUJIMOTO
映画祭プロモーター／キュレーター

●20代の頃にバックパッカーとしてイスラム諸国を旅した経験と、非欧米圏の映画に関する知見をあわせ、2015年に一人で「イスラーム映画祭」を立ち上げる。2020年で5回目。

見知らぬ国のカルチャーや社会を知るのに、映画はぴったりの入り口だ。描かれるものがその国のほんの一端であっても、未知との遭遇は世界を広げ、異文化を理解する糧となる。

日本で公開されるアラブ圏の映画は残念ながらわずかだが、現地ではもちろん多種多様な映画が製作されている。イスラム諸国の映画に惹かれ、２０１５年に「イスラーム映画祭」をスタートさせた藤本高之さんに、これまでに同映画祭で公開された作品や近年の話題作を例に、その特徴や面白さを聞いた。

藤本さんは映画祭の上映作品選定も兼ね、毎年多くのイスラム諸国の映画を鑑賞する。国ごとにスタイルがあり、よく描かれるテーマがあり、スターがいる。たとえばエジプト。かつて〝ナイル川のハリウッド〟とも呼ばれ、いまも映画製作が盛んだ。資金面で欧米と協力する国が多いなか、エジプトは１９５０年代の最盛期には自国資本で年間約50本の作品を製作。かつてはコメディやミュージカルなどのジャンルが特に好まれたという。

「最近は30代の監督が活躍中で、若い世代のリアルな生き様や感性を描く作品が増えています。エジプトは国民の平均年齢が若いので、監督も若い人が多い。エジプト社会では少数派のコプト教徒の少年を主人公にしたコメディ『エクスキューズ・マイ・フレンチ』のアムル・サラーマ監督など、デリケートな問題を軽やかに描く若い才能に注目が集まっています。今後、さらに映画界が成熟しそうな気運がありますが、日本には作品がほとんど入

アラブの暮らしを身近に感じられる、近年の話題作。

コプト教徒の少年の、奮闘と成長を見つめる。

『エクスキューズ・マイ・フレンチ』

2014年、エジプト

父親を亡くしたコプト教徒の少年ハーニーは、イスラム教徒の生徒ばかりの公立校に転校する。いじめられながらも、持ち前のバイタリティを発揮して親友をつくり、人気者になっていくが……。「たくましく成長していく主人公の姿が軽快なエジプト音楽とともに描かれ、そこからムスリムとコプトの関係という、エジプト社会にとって触れにくい問題が浮かび上がります。原題はアラビア語で『ラー・ムアーハザ』。言い出しにくい話を切り出す時に使う表現です」

監督・脚本／アムル・サラーマ
出演／アフマド・ダーシュ、ハーニー・アデル、キンダ・アルーシュほか
1時間39分　「イスラーム映画祭3」上映作品

photo : © Capital Pictures/amanaimages

レバノンで生きる女たちの、等身大の姿を描く。

『キャラメル』

2007年、レバノン・フランス

舞台はベイルートのエステサロン。不倫中の独身女性が営むサロンには、同性への思いに揺れるリマや結婚生活がうまくいかない女優志望のジャマルをはじめ、さまざまな悩みを抱えた女性が集っていて……。「レバノン本国でも大ヒットを記録し、日本でも公開されて話題を呼びました。監督・主演のナディーン・ラバキーが“戦争ではなく女性を描いた”群像劇。エンターテインメントとアートを両立させた映画を撮れる、才能豊かな注目の存在です」と藤本さん。

監督・脚本・主演／ナディーン・ラバキー　出演／ヤスミン・アル＝マスリー、ジョアンナ・ムカルゼル、ジゼル・アウワードほか
1時間36分　DVD ¥4,180／発売元:オンリー・ハーツ　販売元:グラッソ

ってこない。もったいないと思います」

国によって制限される表現の幅に違いはあるものの、新たな才能をもつ映画人たちがアイデアを練り、表現の自由に挑んでいる。

たとえばドキュメンタリー作品を中心に映画製作が盛んなレバノンで、２０００年代に旋風を巻き起こした映画が『キャラメル』。首都ベイルートにあるエステサロンを舞台に不倫や同性愛にも踏み込み、「アラブ映画や中東の女性のイメージをひっくり返した」作品だ。

「15年にわたった内戦終了後につくられた映画の中で、内戦に言及しない初めての作品であり、マチズモ（男性優位主義）の強いアラブ社会に生きる女性たちの等身大の姿を描いて高く評価されました」

『キャラメル』はレバノンのみならず欧米でもヒットし、監督、脚本、主演を務めたナディーン・ラバキーはアラブ映画のアイコン的存在になった。２０１９年には長編監督３作

photo : © Everett Collection/amanaimages

民族と宗教の違いを超えて響く、少年の歌声。

『歌声にのった少年』

2015年、パレスチナ

イスラエルによる占領が続くパレスチナ・ガザ地区に暮らす歌が好きなムハンマド少年が、中東版アイドル発掘番組のオーディションに挑む。『オマールの壁』のハニ・アブ・アサド監督が実在の歌手のトゥルー・ストーリーを映画化した。「ムハンマド・アッサーフがコンテストで優勝した時は、難民キャンプのパレスチナ人が大喜びしたとか。本人もその後キャンプを訪れたそうです。民族や宗教を超えて歌が人々をつなぐシーンもあり、希望を感じさせてくれます」

監督・共同脚本／ハニ・アブ・アサド　出演／タウフィーク・バルホーム、カイス・アタッラー、サーベル・シリーム、アハマド・カセィームほか
1時間38分　DVD ¥4,180／アルバトロス

photo : © ZUMA Press/amanaimages

サウジアラビアで生きる少女に、希望を託して。

『少女は自転車にのって』

2012年、サウジアラビア・ドイツ

女性が自転車に乗ることについて、制約があったサウジアラビア。首都リヤドで暮らすお転婆な10歳の女の子ワジダは、男の子の友だちと自転車競走をしたいという気持ちに突き動かされ、コーランの暗誦コンテストの賞金を得て、自分の力で自転車を手に入れようと奮闘を始める。「社会批判や宗教批判には向かわずに、あくまで女性たちの生き生きとした姿を描写しています。未来への希望を主人公の少女に託して描いたところが、高く評価されました」

監督・脚本／ハイファ・アル＝マンスール
出演／ワアド・ムハンマド、リーム・アブドゥラほか
1時間37分　DVD ¥4,180／アルバトロス

目の『存在のない子供たち』が日本でもヒットしたのは記憶に新しい。

また、女性の活動に制限があるサウジアラビアで、初の女性監督となったハイファ・アル＝マンスールによる長編デビュー作『少女は自転車にのって』も注目された一本だ。

「自由を制限されるからこそ、表現したいという気持ちもより強まるのではないでしょうか。これらの映画は、その国の状況が描かれた作品ではあるのですが、では日本はどうなのか？　女性をめぐる問題には共通点もあるのでは？　などと考えさせてくれるような普遍性もある。遠く離れた国の自分とは関係のない問題だと、簡単には切り離せない、力のある映画が増えているように感じます」

イスラームの教義にしたがいながら恋愛や夫婦間の悩みに折り合いをつけようとする人々を描いたレバノンの艶笑喜劇『ハラール・ラブ（アンド・セックス）』、音楽オーディション番組で優勝して歌手になったイスラエル

普遍的で誰もが楽しめる、イスラム諸国の映画を上映。

映画を通してイスラムの文化やそこで生きる人々の姿を紹介する、「異文化理解の場」を目指して開催されている「イスラーム映画祭」。5年目を迎えた2020年は、イスラムの起源を描いた大作の他、パレスチナ、レバノン、チュニジアといったアラブ世界に加えて、トルコ、西サハラ、インドネシアやアルゼンチンの映画など、日本では初お目見えとなる作品を含む多彩なジャンルの映画を上映した。

『イスラーム映画祭』

●毎年、渋谷ユーロスペース、名古屋シネマテーク、神戸・元町映画館の3館で開催。
公式HP:http://islamicff.com/
Twitter:https://twitter.com/islamicff/
Facebook:https://ja-jp.facebook.com/islamicff/

イスラムの婚姻規範がよくわかるコメディ。

『ハラール・ラブ(アンド・セックス)』

2015年、レバノン・ドイツ

毎晩求めてくる夫に困り果て、一夫多妻の教義にのっとり2人目の妻を探す女性。一時婚の規範を利用して、不倫関係のような夫婦になるカップル。そして既に二度離婚している若い夫婦は、嫉妬深い夫のせいでついに……。「イスラムの婚姻ルールに基づいてそれぞれの愛や夫婦間の悩みに対処しようとする人々を描いた作品です。さまざまな宗教・宗派が混在しているレバノンで、ムスリムコミュニティに特化してつくられた珍しい作品でもあります」

監督・脚本／アサド・フラドカール
出演／ダリン・ハムゼ、ミルナ・ムカルゼルほか
1時間31分　「イスラーム映画祭5」上映作品

占領下のガザ地区出身の歌手ムハンマド・アッサーフの実話を映像化したパレスチナ映画『歌声にのった少年』など、各国のヒット作のジャンルやテイストは多岐にわたる。

「アラブ諸国は、それぞれ複雑な背景があるので、自分たちが生きる場所についての社会的な面を描写したいという思いは共通しているかもしれません。彼らにとって政治と宗教は日常生活と密接に結びついていることですから、あえて題材として取り上げなくても、それらが描かれることになる。人々の暮らしから社会が色濃くにじみ出てくるところが、アラブの映画のひとつの面白さだと思います」

（細谷美香）

肉

羊肉やヨーグルト、ひよこ豆が定番です。

『マンサフ』
蒸しラムとナッツの麦飯ヨーグルト添え

¥2,500／Bゼノビア

乾燥ヨーグルト「ジャミード」とともに煮こんだ羊肉を、米飯や麦飯の上に盛る大皿料理。ヨーグルトソースを添えて出す。宴会料理としてもよく供され、アラブ地域ではフォークなどを使わず右手だけで食べる。

『ケッペ』
松の実入りラムひき肉のミートボール

¥1,300／Aアルミーナ

羊のひき肉に、ひきわり小麦「ブルグル」や細かく砕いた松の実を混ぜ、ラグビーボール形にして揚げたミートボール。古来、生肉のまま食す料理だったが、衛生上の理由で加熱するようになった。結婚式など、パーティ料理の定番として人気だ。

※ p124 〜 127 まで価格は税別表示。以降はとくに表記のないものは税込表示

『シュシュバラック』
ヨーグルトソースの水餃子

¥1,400／Bゼノビア

シリア版水餃子。まろやかでさっぱりとしたヨーグルトソースに、もちもちの生地で包まれたパンチのある羊肉餡が絶妙な一品。餡にはクミンやシナモンなど、アラブ諸国ではお馴染みのスパイスを入れて香りをつけることが多い。

砂漠が多く、イスラム教徒ならではの食の禁忌もあるアラブ。だがそのイメージとは裏腹に、アラブ料理は多彩な食材が使用され、バリエーションも豊富で個性にあふれている。

特徴的な食材は、羊肉、ヨーグルト、豆類、スパイス、ハーブなど。豚肉を禁じられているイスラム教徒が好んで食べる肉が羊肉であり、串に刺して焼く他、ひき肉や米と炊き込むなど調理法も幅広い。家畜文化の歴史が長く牛や羊の乳製品が豊富で、ヨーグルトも欠かせない。煮込み料理やソースに使用され、アラブ料理らしい味わいに仕上げるための大きな要素のひとつだ。

乾燥地域でも育ち保存性の高い豆類も、古くから食されてきた。ひよこ豆はさまざまな料理に使われ、特にペースト状にした「ホンモス」が有名。またスパイスの他、「ザータル」と呼ばれるタイムにゴマなどを混ぜたミックスハーブも多用される。香料交易で栄えた地ならではと言えるだろう。

主食は薄焼きのナンが多いが、宴会では米を使った大皿料理もよくふるまわれる。人が集まることを好むアラブ人らしく、宴会料理は豊富だ。

都内のアラブ料理の店で、代表的な料理をつくってもらった。アラブの人が愛する味を、一度ご賞味あれ。

『ホンモス』
ひよこ豆のディップ

¥1,000／Aアルミーナ

中東全域で食べられる代表的な前菜。つぶしたひよこ豆に練りゴマ、ニンニク、レモン、オリーブオイルを加えたペーストで、ピタパンにつけながら食べる。皿に盛り、中央にくぼみをつけてオリーブオイルを注ぐのがアラブ式の盛りつけ。

『ファトゥーシュ』
ザクロのサラダ

¥1,550／Aアルミーナ

トマト、ピーマンなどの生野菜に、カリカリに焼いたピタパンをのせる。もとは余ったピタパンを活用するサラダだった。野生のタイムなどが入ったミックスハーブ「ザータル」と、ザクロのドレッシングがアクセントに。

野菜

『ファラフェル』
ひよこ豆のコロッケ

¥900／Bゼノビア

ゆでてつぶしたひよこ豆（またはそら豆）にコリアンダーや香辛料を加え、ひと口大に丸めて揚げたコロッケ。そのまま食べる他、ピタパンにファラフェルと生野菜、練りゴマソースなどを挟んだサンドイッチもポピュラー。

『マハーシ』
野菜のクスクス詰め

¥1,900／Aアルミーナ

アラビア語で「マハーシ」＝「詰められたもの」という名の通り、くりぬいた野菜に米、クスクス、ハーブなどを詰めてスープで煮る料理。ピーマンやズッキーニ、トマト、キャベツやブドウの葉などでもつくられる。肉入りもあり。

酒

『アラック』
アラブの蒸留酒

グラス¥900／Bゼノビア

おもにナツメヤシやブドウなど糖度の高い植物からつくられる甘い香りの蒸留酒。無色透明だが水で割ると白濁し「ライオンのミルク」とも呼ばれる。フランスの酒「アブサン」も同類の酒だが、香りの原料が異なる。

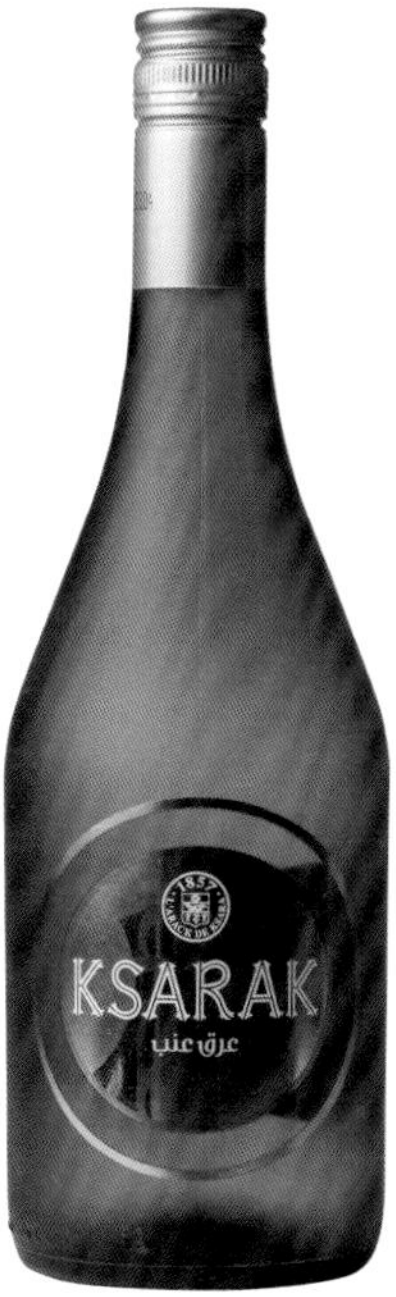

穀物

『ジャバティ』
アラブ風ナン

¥250／Bゼノビア

小麦粉に水、塩、砂糖、イーストを加え、発酵させてから高温で焼く伝統的な薄焼きピタパン。中の空洞に具を詰めてサンドイッチにすることも多いが、さらに薄いジャバティはちぎってペーストなどをつけるのに適している。

紹介したアラブ料理はここで食べられます!

A アルミーナ

パレスチナ出身のシェフがつくる、華やかでモダンなアラブ料理は、在日のアラブの人々からも好評。エキゾティックな雰囲気が漂う店内では、アラブのスイーツや水タバコなども楽しめ、パーティにもお薦めだ。

●東京都千代田区神田多町2-2-3 元気ビル B1
☎03・3526・2489
㊐17時～22時L.O.　㊡日

B ゼノビア

シリアを中心としたアラブ料理が揃う2015年オープンのレストラン。定番メニューはもちろん、シリア人の店主に事前に相談すれば郷土色がより強い料理も対応可能。多種類を少しずつ楽しめる限定ランチも人気。

●東京都渋谷区広尾5-2-25 本国ビルB1
☎03・5420・3533　㊐11時30分～14時30分L.O.、17時～22時L.O.　㊡日

　※各料理名と値段の後に、提供している店を記しています。

人々の生活を彩ってきた、「香り」の楽しみ。

機能性とデザイン性の高さに定評のある、エジプトのシーカ社のシーシャパイプ。モダンなデザインも人気。¥19,800／アップテイル

多彩な香りがある、シーシャのフレーバー。ドバイのアルファーヘル社は天然素材にこだわった風味付けで人気。上：ミント¥1,240　中：ザクロ¥1,240　下：グレープ・ウィズ・ベリー¥1,240／すべてアップテイル www.shisha.jp

手の込んだ真鍮細工を施したゴージャスなシーシャパイプ。銅を使用したステムは煙の通りがよく、吸い心地も快適だ。シーカ社の最上級モデル¥50,000／アップテイル

社交の場では、水タバコ「シーシャ」を。

シーシャと呼ばれる水タバコは、アラブの生活文化を彩るもののひとつ。専用の器具を使い、炭で熱したタバコの葉から出る煙を、水にくぐらせホースで吸う。

街角のカフェやレストランで、あるいは自宅で、アラブの人たちは毎日のようにシーシャを嗜む。シーシャに使うタバコの葉は、甘く香り付けされたもの。1回の喫煙時間は1時間ほどで、ひとりの時、あるいは仲間や恋人、家族と過ごす時も、シーシャがあれば心地よいひと時が訪れる。水タバコがアラブ地域で広まったのはイスラム教が飲酒を禁じていることと無関係ではないだろう。16〜17世紀には既に、水を通して煙を吸うという喫煙方法が広まっていたという。

男性中心の楽しみだったシーシャが、女性たちにも広まったのは、1980年代末から90年代にかけて。リンゴなどフルーツの香りを付けたフレーバーが流行し、女性も気軽に楽しむようになった。さらにフルーツだけでなくミントやチョコレートなども続々と登場。複数のフレーバーを組み合わせれば味わいは無限に広がっていく。若いカップルが楽しむ光景も見られるようになり、新たなブームが生まれている。

photo：©R.CREATION/SEBUN PHOTO/amanaimages

photo：©HIRONOBU MIYAZAWA/SEBUN PHOTO/amanaimages

photo：©Jon Arnold/awl images/amanaimages

仕事帰りや食後のひと時、シーシャはコミュニケーションツールとしても欠かせない。右上：シリアでは屋内、屋外にかかわらず街角のいたるところでシーシャを楽しむ姿が見られる。右下：エジプトでは女性にも人気。左：チュニジア南部の町タメルザでシーシャを楽しむ人々。一説では、アフリカ大陸で誕生した吸い方とも言われている。

乳香ベースの、濃厚な香水が定着。

アラブの人たちの日常には、香水が欠かせない。街には香水店があちこちにあり、ドバイには、手軽に購入できる香水の自動販売機まであるという。

香水を楽しむ文化が根付いているのはイスラム教の影響が大きい。生活を楽しむこと、身体に気を配ることは信仰の一部でもあり、香水を身に付けることは古くから善とされている。好まれるのは、神秘的とも官能的とも言える濃密な香り。ベースになっているのは乳香だ。ボスウェリア属の木から採れる樹液を固めたもので、古代ギリシャの歴史家ディオドロスは『歴史叢書』で、乳香の産地であるアラビア半島南部を「幸福なアラビア」と呼んでいる。乳香は、金や銀と交換されるほど価値が高く、現在のイエメンに位置したとされる古代のシバ王国は乳香の産地として莫大な富を築いた。クレオパトラにも愛され、その人気は現在まで続いている。

アラブらしい香りを楽しみたいなら乳香の産地であるオマーンの香水ブランド「アムアージュ」に注目。乳香をベースに、豊富な種類の香水が展開されている。ドルチェ&ガッバーナといったハイブランドも中東向けに香水を開発。香りのビジネスにおいてまず考えるべき、重要な地域なのだ。

photo：©ZUMA Press/amanaimages

パレスチナのガザにある香水店。常に香水を持ち歩くため、携帯しやすいミニボトルも人気。

ボトルはアラブらしい華やかな装飾が施されている。

photo：©Eleanor Scriven/Robert Harding/amanaimages

ボスウェリア属の木の樹液が固まってできる乳香。

photo：©Sabine Loescher/Stockfood/amanaimages

オマーン発のアムアージュ。左：男性向けは、ナツメグも入ったオリエンタルな香り。右：モスクをイメージしたボトル。／ともにアイビューティーストアー☎0570・01・8314（状況により価格、在庫変動あり）

日本で買える、味わい深いアラブの雑貨。

タジン型皿、スパイス入れ

マグリブ地域の郷土料理に使うタジン鍋をモチーフにしたモロッコ製スパイス入れと皿。モロッコのマラケシュにある陶器店「アッカル」のものは、伝統を取り入れたデザインで人気だ。上：タジン型スパイス入れ￥2,640　下：陶製タジン型皿（23㎝）￥10,120／ともにマンゴロベ www.mangorobe.com

セジュナン陶器のボウル

チュニジア北部にあるセジュナン村で、ベルベル人がつくる土焼きの器。新石器時代からの技法で、焼きムラにも味わいがある。文様はシンプルで、遊び心があふれている。各¥2,860／ともにマンゴロベ

オリーブ木皿

チュニジアの北東部で育つオリーブの木で制作。ここのオリーブは広大な土地で時間をかけて成長するため、くねくねとした太くて堅い幹をもつ。マーブル模様の木目が美しい。上：フルーツかご(27㎝)¥16,500　下：バター皿(21㎝)¥6,180／ともにマンゴロベ

1 ブルーフェズの陶器

モロッコの都市フェス原産の幾何学模様の器。技法を継ぐマラケシュのマラテール社の製品。ボウル（径13㎝）各￥2,420、プレート（径17㎝）各￥2,640、プレート（径25㎝）各￥3,520／すべてガダン www.gadan.co.jp

2 小物入れ

キャップにタッセルが付いたモロッコのガラス製小物入れ。底側面は、アラブらしい装飾が施されたニッケル製。ガラスと金属の組み合わせが、他の地域にはあまり見られない素朴な魅力を演出。￥2,090／マンゴロベ

3 ガトーポット

大切なティータイムを彩る、脚付きの古いガトーポット。モロッコでは、チョコやキャンディー、大ぶりの砂糖などを入れる。植物の文様は職人が手彫りしたもの。13.5×22㎝。￥7,480／ファティマ☎03・6410・5758

4 ランタン

モロッコのランタン。精緻な幾何学文様の入ったメタルから洩れ出る光はとても幻想的だ。側面のガラスの1面が開くので、キャンドルの出し入れもスムーズ。フードの曲線も優美だ。高さ33㎝。￥24,200／ファティマ

5 シャンパングラス

ステムにメタルが付いたモロッコ製シャンパングラス。ガラスと繊細な装飾の入ったメタルの組み合わせが力強い印象を与える。手にするとずしりと重く、独特の存在感がある。5×21㎝。各￥4,290／マンゴロベ

6 アンティークボウル

公衆浴場のハマームで用いられていたと言われる、モロッコの古いボウル。ボウルの側面にはとても繊細な文様が入っており、日常の道具も装飾にこだわっていたことがうかがえる。18×7㎝。￥9,900／ファティマ

4
5
3
2
1

螺鈿細工の箱

あこや貝の煌めきを活かしたエジプトの螺鈿ジュエリーボックス。￥13,000／ガラタバザール☎03･6715･7200

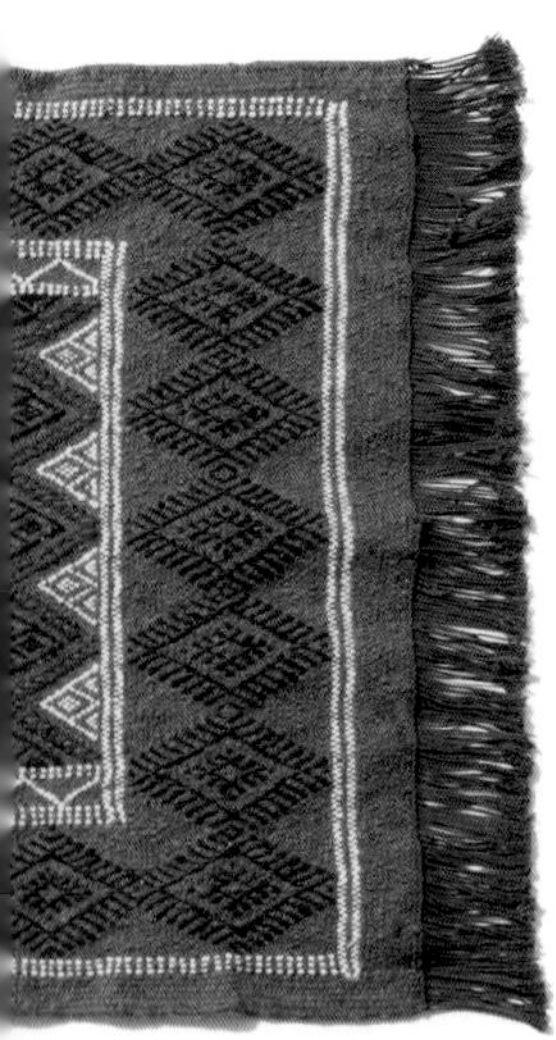

アンティークバケツ

モロッコで日常的に使用されていた古いバケツは、手づくりらしい素朴な風合いが魅力。花器や植木鉢、あるいはスリッパなどの小物入れやゴミ箱などさまざまな用途に合う。25×30㎝。￥17,600／ファティマ

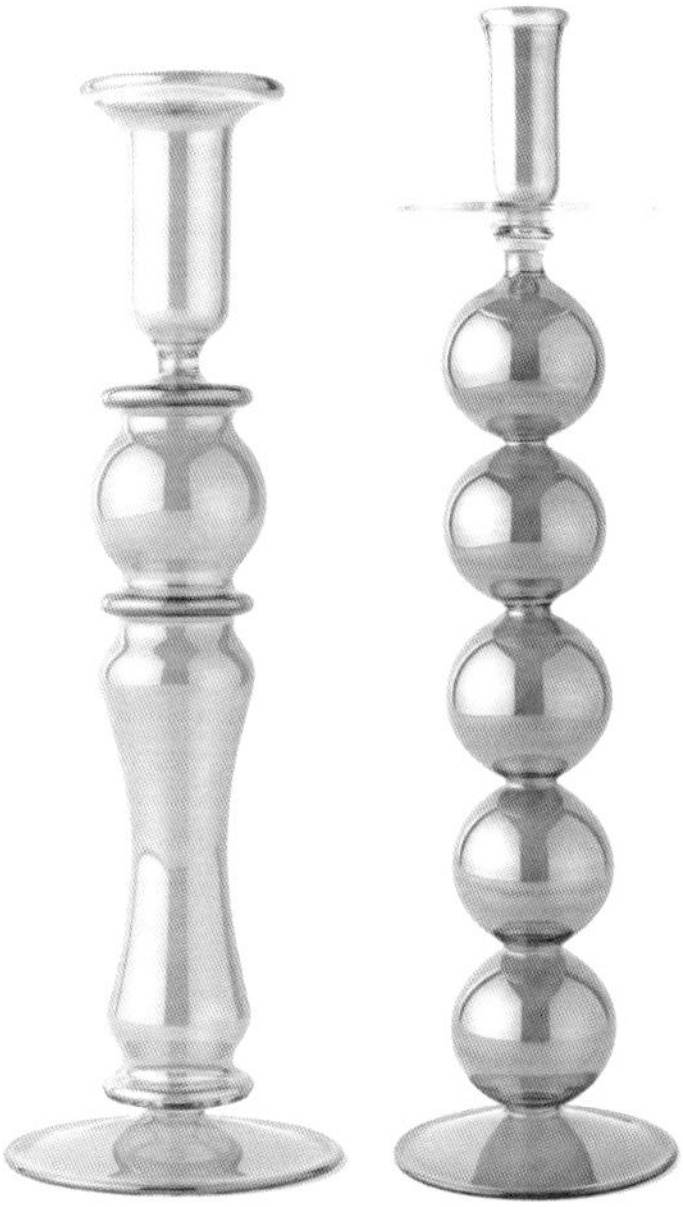

バブーシュ

大量生産されるバブーシュが多いなか、高品質な牛革を職人が手縫いで仕上げた本格仕様。モロッコでは外履きにも使用される。右：グレイ&クロコダイル型押し￥5,980　左：ブラック￥4,820／ともにソレイユ www.soleil-maroc.com

キャンドルスタンド

手吹きの色ガラスが優美なフォルムを描く、オリジナリティあふれるキャンドルスタンド2種。暮らしまわりのガラス製品を手がけるエジプトの人気ブランド、「アルファグァ」のもの。（参考商品）／ともにリビング・モティーフ☎03・3587・2784

ベルベルキリム

横糸にウール、縦糸にコットンの糸を使用した力強い質感のベルベルキリムは、チュニジアの女性たちの間に伝わる伝統工芸品。繰り返し織り込まれたダイヤ柄が特徴。100×50cm。￥13,200／マンゴロベ

1 ベニワレンラグ

天然の羊毛の色をベースにした毛足の長いラグ。ベルベル人のベニ・ワレン部族の手によるもので、シンプルな幾何学模様はインテリアに取り入れやすい。73×116cm。￥39,930／アクタス青山☎03-5771-3591

2 キリムクッション

モロッコ中央部の山岳地帯に伝わるジジム織りによる、オールドキリムのクッション。立体感のある質感が美しい。手前：(40×48cm) ￥16,000　奥：(40×51cm) ￥16,000／ともにガラタバザール

3 チュニジアの鳥かご

堅牢に組み立てられた木の土台と、精巧に編まれたワイヤーを使ったチュニジア製の鳥かご。ワイヤーのデザインはモスクのドームのように華麗で、アラブの雰囲気が漂う。28×55cm。￥16,500／マンゴロベ

4 ティーポット

モロッコでお馴染みのミントティーを淹れる時に使う、アンティークのティーポット。アラブらしい、曲線や幾何学模様を活かした伝統的なデザインが、異国情緒を感じさせる。高さ21cm。￥13,200／ファティマ

5 ティーグラス

すりガラスにゴールドの植物文様をプリントしたモロカンティーグラス。モロッコではミントティーをカップではなくグラスで飲む。小ぶりなので、日本酒やハードリカーにも合うはず。5×8.5cm。￥880／ファティマ

※表記のない商品は私物。

2
3
1

[参考文献]

大塚和夫／小杉 泰／小松久男／東長 靖／羽田 正／山内昌之編『岩波 イスラーム辞典』(岩波書店 2002年)
日本イスラム協会 嶋田襄平／板垣雄三／佐藤次高監修『新イスラム事典』(平凡社 2002年)
山川出版社編集部編『新版 世界各国史 28 世界各国便覧』(山川出版社 2009年)
杉村 棟責任編集『世界美術大全集 東洋編17 イスラーム』(小学館 1999年)
深見奈緒子文・監修『世界の美しいモスク』(エクスナレッジ 2016年)
深見奈緒子編 新井勇治／川本智史／宍戸克実／西村弘代／深見奈緒子著『イスラム建築がおもしろい！』(彰国社 2010年)
陣内秀信／新井勇治編『イスラーム世界の都市空間』(法政大学出版局 2002年)
桝屋友子著『すぐわかる イスラームの美術 建築・写本芸術・工芸』(東京美術 2009年)
小林一枝著『増補版 「アラビアン・ナイト」の国の美術史 イスラーム美術入門』(八坂書房 2011年)
桝屋友子著『イスラームの写本絵画』(名古屋大学出版会 2014年)
高階秀爾責任編集『世界美術大全集 西洋編20 ロマン主義』(小学館 1993年)
大塚和夫責任編集『世界の食文化10 アラブ』(農山漁村文化協会 2007年)
日労研編集部編『水たばこ 香馥時間』(日労研 2009年)
西尾哲史著『図説アラビアンナイト』(河出書房新社 2014年)
西尾哲史著『アラビアンナイト』(岩波書店 2007年)
前嶋信次著『アラビアン・ナイトの世界』(平凡社 1995年)

写真　小野祐次（p2〜3、p66左〜67、p78〜83、p86、p87下）、瀬尾宏幸（p54〜55）、
吉場正和（p118右）、齋藤誠一（p124〜127）、青野豊（p128）、青木和也（p132〜139）

文／監修　鈴木恵美（p8〜11、p16〜19学術監修）、橋爪 烈（p12〜15、p20〜24学術監修＆文）、
深見奈緒子（p26〜45学術監修＆文）、新井勇治（p46〜53地図提供＆学術監修）、山田泰巨（p46〜53、p94〜96）、
佐野慎悟（p54〜61）、坂本 翼（p61学術監修）、猪飼尚司（p62〜67）、桝屋友子（p68〜77、p88〜93学術監修）、
景山由美子（p68〜77）、髙田昌枝（p78〜89）、長谷川安曇（p90、p93）、河内秀子（p91）、冨田千恵子（p92）、
三浦 篤（p94〜96学術監修）、小林一枝（p102〜112学術監修＆文）、
住吉智恵（p116〜119）、細谷美香（p120〜123）、佐藤華子（p124〜127）、今泉愛子（p128〜138）

イラスト　阿部伸二（カレラ）（p114〜115）

編集協力　大野真

地図制作　デザインワークショップ ジン（p9、12〜15）

校閲　麦秋アートセンター

ブックデザイン　SANKAKUSHA

カバーデザイン　穂積岳人（SANKAKUSHA）

pen BOOKS
アラブは、美しい。

2020年12月10日　初版発行

編　者　ペン編集部
発行者　小林圭太
発行所　株式会社 CCCメディアハウス

〒141-8205　東京都品川区上大崎3丁目1番1号
電話　03-5436-5721（販売）
03-5436-5735（編集）
http://books.cccmh.co.jp

印刷・製本　大日本印刷株式会社

Printed in Japan
ISBN978-4-484-20232-7

イスラムとは何か。

砂漠に覆われたアラビア半島で育まれた宗教が、世界規模にまで広がった背景に、何が隠されているのか。

ISBN978-4-484-13204-4
160ページ　1600円

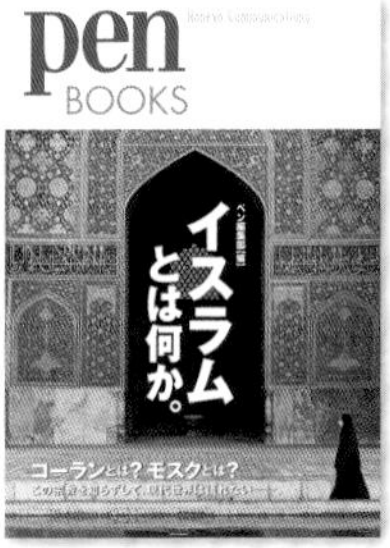

ユダヤとは何か。
聖地エルサレムへ

なぜユダヤ人は離散せざるを得なかったのか。宗教、歴史、言語、文化からユダヤに迫る。

ISBN978-4-484-12238-0
172ページ　1600円

キリスト教とは何か。Ⅱ
もっと知りたい！文化と歴史

マリア信仰、十字軍、教会建築……世界最大の宗教がもたらした文化の意味を多角的に探る。

ISBN978-4-484-11233-6
224ページ　1800円

キリスト教とは何か。Ⅰ
西洋美術で読み解く、聖書の世界

巨匠たちが競って描いた名エピソードを題材に、聖書の世界とイエスの教えを読み解く。

ISBN978-4-484-11232-9
196ページ　1800円

知っておきたい、
世界の宗教。

時代の大きな転換期に立たされているいま、知っておきたい、時代を超えて人々を支えてきた宗教のこと。

ISBN978-4-484-18220-9
152ページ　1700円

美の起源、
古代ギリシャ・ローマ

「パルテノン神殿」、「ポンペイ」、「ミロのヴィーナス」、多くの芸術家が挑んだ「神話」の世界。

ISBN978-4-484-14225-8
224ページ　1900円

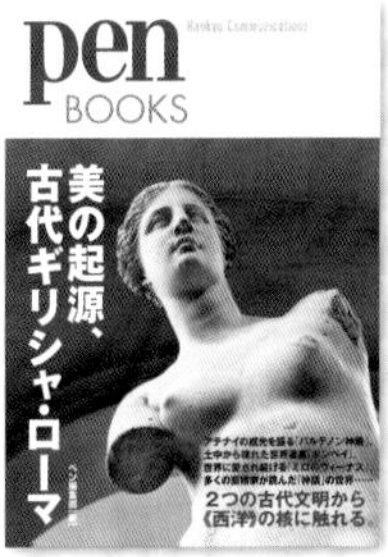